O NATURALISTA DA ECONOMIA

ROBERT H. FRANK

O NATURALISTA DA ECONOMIA

em busca de explicação para os enigmas do dia a dia

Tradução
Doralice Lima

best.
business

CIP-BRASIL. CATALOGAÇÃO-NA-FONTE
SINDICATO NACIONAL DOS EDITORES DE LIVROS, RJ.

Frank, Robert H.
F91e O naturalista da economia: em busca de explicação para os enigmas do dia a dia / Robert H. Frank; tradução: Doralice Lima. – Rio de Janeiro – Best Business, 2009.

Tradução de: The economic naturalist
Inclui índice
ISBN 978-85-7684-258-3

1. Economia. I. Título.

09-1625 CDD: 330
CDU: 330

Texto revisado segundo o novo Acordo Ortográfico da Língua Portuguesa.

Título original norte-americano
THE ECONOMIC NATURALIST

Capa: Sérgio Carvalho
Editoração eletrônica: FA Editoração
Ilustração: Mick Stevens

Impresso no Brasil

ISBN 978-85-7684-258-3

PEDIDOS PELO REEMBOLSO POSTAL
Caixa Postal 23.052
Rio de Janeiro, RJ – 20922-970

Para
Thomas C. Schelling

Agradecimentos

Quando comecei a ensinar os fundamentos da economia, um colega mais experiente me aconselhou a iniciar todas as aulas com uma piada. Ele explicou que isso deixaria os alunos de bom humor e mais receptivos à palestra que iriam ouvir. Nunca segui esse conselho. Não que eu considerasse a ideia errada por princípio. A questão é que eu achava difícil demais conseguir uma piada relevante para cada aula e sentia que contar uma piada sem significado seria apenas uma forma de tirar proveito dos alunos.

Para minha sorte, porém, tropecei numa piada que parece ser o veículo exato para apresentar este livro. Ela se passa em Boston, cidade conhecida pelos taxistas eruditos, muitos deles alunos que abandonaram a Harvard University e o MIT:

> Um homem desembarca no aeroporto, retira a bagagem e pega um táxi. Com vontade de comer peixe, pede ao motorista:
>
> — Por favor, queria que me levasse a um lugar onde eu possa comer piranha.
>
> O motorista levanta as sobrancelhas, pigarreia e responde:
>
> — É a primeira vez que alguém me pede isso no pretérito mais-que-perfeito do subjuntivo!

Poucas pessoas sabem realmente usar o pretérito mais-que-perfeito do subjuntivo. Eu não sabia, ou não sabia que ignorava, portanto consultei uma gramática:

> O mais-que-perfeito do subjuntivo exprime uma ação que deveria ter ocorrido no passado, anterior a outro fato também passado. Ocorre quando o verbo da oração principal estiver no pretérito imperfeito do indicativo ou no futuro do pretérito do indicativo.

Eis um exemplo de uso desse tempo verbal, que parecerá familiar a quem tenha sido fã do New York Yankees no final dos anos 1990, quando Chuck Knoblauch, o defensor da segunda base, subitamente perdeu a capacidade de fazer o lançamento curto para o defensor da primeira base, Tino Martinez: "Os Yankees fechariam o tempo de ataque se Knoblauch tivesse feito o lançamento para a primeira base."

Como fica claro pela definição e pelo exemplo, o homem da piada não usou de forma alguma o pretérito mais-que-perfeito do subjuntivo. Na verdade, a graça da piada está no fato de a maioria não fazer a menor ideia do que seja esse tempo verbal.

Isso é importante? Alguns psicólogos propuseram a teoria de que ninguém é capaz de ter um verdadeiro pensamento contrafactual se não conhecer os detalhes técnicos dos diversos tempos do modo subjuntivo. Mas essa afirmativa não resiste a um exame minucioso. Observei, por exemplo, que, embora a maioria dos locutores esportivos dos Estados Unidos pareça desconhecer esse tempo verbal (ou pelo menos pareça preferir não utilizá-lo), eles conseguem argumentar muito bem de modo contrafactual. Assim, durante aqueles jogos do final da década de 1990, o locutor Bobby Murcer costumava dizer: "Se Knoblauch faz aquele lançamento, eles fechavam o tempo de ataque."

Conhecer o pretérito mais-que-perfeito do subjuntivo não é uma coisa ruim. Porém, se o objetivo de alguém for aprender a falar um novo idioma, o tempo e o esforço necessários para dominar os detalhes técnicos específicos desse tempo verbal poderiam ser mais bem empregados de outra forma. Os cursos que concentram a maior parte da energia nesses detalhes não são atraentes e também se mostram espantosamente ineficazes.

Estudei espanhol durante quatro anos no ensino médio e alemão durante três semestres na universidade. Nesses cursos, passávamos muito tempo estudando o pretérito mais-que-perfeito do subjuntivo e outros mistérios que os professores consideravam importantes. Mas não aprendemos a falar. Quando viajei para a Espanha e para a Alemanha, tive muita dificuldade em expressar naqueles idiomas até os pensamentos básicos. Muitos amigos descrevem experiências semelhantes.

Minha primeira intuição acerca da possibilidade de haver maneira mais eficaz de aprender idiomas veio durante as instruções que recebi antes de ir para o Nepal como voluntário dos Corpos da Paz. O programa de ensino durou apenas três semanas e foi completamente diferente dos cursos de idiomas anteriores. Nem uma vez sequer eles mencionaram o mais-que-perfeito do subjuntivo. A tarefa era nos ensinar a falar nepalês, e dominar o uso de tempos complexos de verbos não ganhou espaço no caminho crítico para essa meta. O método de instrução consistia em imitar a maneira como as crianças aprendem a falar a língua nativa.

O instrutor começou obrigando-nos a repetir sentenças simples diversas vezes. A primeira foi: "Este chapéu está muito caro." Como no Nepal os compradores sempre barganham, essa era uma sentença útil. O próximo passo foi apresentar outro substantivo — por exemplo, meia — e fazer-nos responder imediatamente com a sentença em nepalês: "Estas meias estão muito caras." O objetivo era fazer com que reagíssemos sem pensar.

Para resumir, os instrutores partiam de um exemplo simples que fizesse parte de um contexto familiar, faziam-nos repeti-lo diversas vezes, e então nos pediam para fazer pequenas variações, repetindo mais uma vez. Quando fôssemos capazes de funcionar por conta própria naquele nível — mas não antes —, eles avançavam um pouco mais.

O programa devia garantir que estivéssemos habilitados depois de três semanas. Meus colegas voluntários e eu tínhamos de ensinar ciências e matemática em nepalês pouco depois de chegarmos ao país. E, partindo do zero, nós conseguimos fazê-lo. O próprio processo criava um sentimento de competência que nunca experimentei nos cursos tradicionais de idiomas.

Portanto, meu primeiro agradecimento vai para meus antigos instrutores de nepalês, que me abriram os olhos para a notável eficácia da abordagem minimalista na aprendizagem. Como meus alunos e eu descobrimos nas décadas seguintes, essa abordagem também pode transformar a experiência de aprendizagem das ideias básicas em economia.

Na maioria dos cursos de introdução à economia os alunos passam muito tempo batalhando com o equivalente econômico do pretérito mais-que-perfeito do subjuntivo. Por outro lado, as ideias econômicas que você encontrará neste livro aparecem no contexto de exemplos extraídos das experiências familiares que elas ajudam a esclarecer. Aprender economia é como aprender a falar um novo idioma. É importante começar lentamente e ver cada ideia em diversos contextos. Se você descobrir que essa forma de aprendizagem é melhor que a empregada em seu curso básico na universidade, agradeça a meus instrutores de nepalês.

Este livro é produto de diversas mentes privilegiadas. Hal Bierman, Chris Frank, Hayden Frank, Srinagesh Gavirneni, Tom Gilovich, Bob Libby, Ellen McCollister, Phil Miller, Michael O'Hare, Dennis Regan e Andy Ruina poderão ver como o livro foi melhorado graças a muitos dos comentários que fizeram a respeito das primeiras provas. Sou muito grato a eles. Outros ajudaram em outras fases. Alguns leitores reconhecerão em muitos exemplos do livro as ideias de meu antigo professor, George Akerlof, e de meu ex-colega, Richard Thaler. No entanto, minha maior dívida intelectual é para com Thomas Schelling, o maior naturalista da economia vivo. Este livro é dedicado a ele.

Também sou grato a Andrew Wylie e William Frucht, sem cuja ajuda este livro provavelmente não teria chegado às mãos dos leitores. Agradeço também a Piyush Nayyar, Elizabeth Seward, Maria Cristina Cavagnaro e Matthew Leighton, pelo valioso auxílio nas pesquisas, e a Chrisona Schmidt, pelo excelente trabalho de edição.

Foi um prazer trabalhar com Mick Stevens, cujos desenhos ilustram muitos dos exemplos do livro. Não sou muito chegado à inveja, mas se existe uma profissão que imagino ser mais divertida que a minha, é a dele. Ao longo dos anos, procurei, sempre que possível, usar desenhos simples e outras ilustrações de alguma forma relacionadas aos exemplos discutidos em aula. Por razões que os teóricos da aprendizagem provavelmente serão capazes de explicar, essa prática parece enraizar as ideias com mais firmeza na mente dos alunos, embora meus desenhos sejam ridiculamente primários e não contenham matéria econômica específica. Costumo estimular os alunos a produzirem as próprias ilustrações para acompanhar as ideias novas que lhes chegam ao conhecimento. "Rabisquem suas notas!", eu lhes digo. Que luxo foi poder descrever ideias sobre desenhos para um de meus cartunistas preferidos da revista *New Yorker* e vê-los aparecer, em geral alguns dias depois, numa forma muito melhor do que jamais ousei imaginar.

Tenho especial gratidão pelo John S. Knight Institute for Writing in the Disciplines, que me recebeu em seu programa na Cornell University, no início dos anos 1980. Se não fosse por minha participação naquele programa, eu jamais teria concebido a dissertação sobre naturalismo da economia que deu origem a este livro.

No entanto, o mais importante é agradecer a meus alunos pelos ensaios espirituosos que inspiraram este livro. Apenas uma fração mínima das perguntas elaboradas por eles chegou ao manuscrito final. Essas, são esplêndidas, graças a todo o esforço aplicado nos milhares de trabalhos dentre os quais elas foram escolhidas.

Quase todas as perguntas incluídas neste volume foram inspiradas diretamente nos ensaios de alunos. Após cada uma, coloco entre parênteses o nome do autor. Um punhado de perguntas derivou de artigos ou livros, em sua maioria escritos por economistas, e o nome do autor também aparece entre parênteses após cada uma delas. A maioria das perguntas sem menção ao autor teve por base exemplos de meus próprios livros ou outros que elaborei para as aulas.

Restam, contudo, três perguntas inspiradas por trabalhos de alunos que não fui capaz de identificar. Elas estão relacionadas aqui na esperança de que os autores se apresentem e eu possa dar-lhes os créditos nas próximas edições: (1) Por que o leite é vendido em recipientes retangulares, enquanto os refrigerantes vêm em embalagens cilíndricas? Página

35; (2) Por que muitos bares cobram dos clientes a água, mas fornecem amendoins de graça? Página 51; (3) Por que as locadoras de automóveis não cobram multas quando se cancela uma reserva no último instante, ao passo que os hotéis e empresas aéreas cobram multas significativas de cancelamento? Página 117.

Em agradecimento às contribuições de meus ex-alunos, estou doando a metade dos direitos sobre este volume ao John S. Knight Institute for Writing in the Disciplines, da Cornell University, confiante de que, em termos financeiros, nenhum presente poderia ser mais proveitoso para a experiência de aprendizagem dos futuros alunos da universidade.

Sumário

Introdução

Por que os botões no teclado dos caixas eletrônicos em drive-ins têm informações em braile? Os usuários dessas máquinas quase sempre são motoristas, e nenhum deles é deficiente visual. De acordo com meu ex-aluno Bill Tjoa, os fabricantes dos caixas automáticos têm que colocar códigos braile nos teclados das máquinas utilizadas por pedestres, portanto é mais barato montar todos os equipamentos da mesma maneira. A alternativa seria manter duas linhas de produção e tentar garantir que cada máquina tivesse o destino correto. Se os códigos braile causas-

Códigos braile nos teclados de caixas eletrônicos para motoristas: por que não?

sem problemas aos usuários comuns, o custo adicional estaria justificado. Mas eles não prejudicam ninguém.

Essa pergunta foi o título de um dos dois trabalhos que o Sr. Tjoa apresentou, em resposta a um trabalho de dissertação, com o tema "o naturalista da economia", que propus em meu curso de Introdução à Economia. A tarefa consistia em "utilizar um ou mais dos princípios discutidos no curso para formular uma pergunta interessante sobre algum padrão de ocorrência ou comportamento que você tenha observado e respondê-la".

"A dissertação deve conter, no máximo, quinhentas palavras", propus. "Muitos trabalhos excelentes são significativamente mais curtos do que isso. Por favor, não sobrecarreguem o texto com terminologia complexa. Imaginem que estão conversando com um parente que nunca estudou economia. Os melhores trabalhos são aqueles claramente inteligíveis para essas pessoas, e tais documentos não usam álgebra ou gráficos."

Da mesma forma que a pergunta de Bill Tjoa sobre os caixas eletrônicos, as melhores dissertações envolvem um elemento paradoxal. Por exemplo, minha grande favorita foi formulada em 1997 por Jennifer Dulski, que perguntou: "Por que as noivas gastam tanto dinheiro — às vezes milhares de dólares — em vestidos de casamento que nunca mais usarão, enquanto os noivos em geral alugam um smoking barato, embora em muitas ocasiões futuras eles venham a precisar de um traje formal?"

Dulski argumentou que a maioria das noivas deseja causar impacto no dia do casamento, portanto, uma empresa de aluguel de roupas teria de contar com um grande estoque de vestidos diferentes — talvez quarenta ou cinquenta de cada tamanho. Desse modo, cada vestido só seria alugado raramente, talvez uma única vez a cada quatro ou cinco anos. A empresa teria de cobrar a título de aluguel mais do que o preço de compra da peça, para cobrir apenas os custos. Portanto, como comprar seria mais barato, ninguém alugaria esses vestidos. Por outro lado, como os homens estão dispostos a aceitar um estilo padronizado, uma empresa de aluguel consegue atender a esse mercado com um estoque de apenas dois ou três modelos de cada tamanho. Dessa maneira, cada traje é alugado diversas vezes por ano, tornando possível cobrar um aluguel equivalente a apenas uma fração do preço de compra do artigo.

Este livro é uma coletânea dos exemplos mais interessantes de naturalismo da economia, reunidos ao longo dos anos. Ele está voltado para pessoas que, como Bill Tjoa e Jennifer Dulski, sentem prazer em desvendar os mistérios do comportamento dos seres humanos no dia a dia. Embora muitos considerem a economia um assunto hermético e incompreensível, seus princípios básicos são simples e triviais. Ver esses princípios em operação no contexto de exemplos concretos é uma oportunidade de compreendê-los com facilidade.

Infelizmente, não é assim que a economia costuma ser ensinada nos cursos universitários. Pouco depois que comecei a dar aulas na Cornell University diversos amigos que viviam em cidades diferentes me enviaram cópias desta charge de Ed Arno:

"Quero lhe apresentar o Marty Thorndecker. Ele é economista, mas é uma ótima pessoa."

Os cartuns são informação. Se as pessoas riem deles, isso nos diz algo sobre o mundo. Mesmo antes da publicação dessa charge de Arno, eu já havia começado a perceber que as pessoas a quem eu era apresentado em reuniões sociais, ao perguntarem o que eu fazia, pareciam desapontadas quando eu lhes dizia que era economista. Comecei a me perguntar por quê. Se bem me lembro, muitos mencionavam ter feito, anos antes, um curso de Introdução à Economia no qual havia "todos aqueles gráficos horrorosos".

Cerca de 19% dos estudantes universitários dos Estados Unidos fazem apenas um período de economia, enquanto 21% fazem mais de um período, e apenas 2% se tornam economistas. Uma fração insignificante chega ao doutorado. No entanto, a maioria dos cursos de Introdução à Economia, coalhados de equações e gráficos, é pensada para essa fração insignificante.

O resultado é que a maioria dos alunos desses cursos não aprende muito. Seis meses depois de terem completado o curso, quando esses estudantes fazem um teste para comprovar o conhecimento de noções básicas da disciplina, não obtêm resultados significativamente melhores do que os de outras pessoas que nunca fizeram um curso de iniciação. Isso é um absurdo. Como é possível que uma universidade justifique cobrar milhares de dólares por cursos que não agregam valor?

Até mesmo os princípios mais básicos de economia não parecem chegar aos alunos. Se alguma vez você estudou essa matéria, pelo menos ouviu o termo "custo de oportunidade". O custo de oportunidade de uma atividade equivale ao valor de tudo aquilo de que se abre mão para realizá-la.

A título de ilustração, imagine que você ganhou uma entrada para um concerto do Eric Clapton hoje à noite. O ingresso não é transferível. Na mesma noite, há um show do Bob Dylan, e esse programa é a única outra atividade que lhe interessa no dia. A entrada para o show de Dylan custa R$80*, mas em qualquer outra ocasião você estaria disposto a pagar até R$100 para ver esse artista. (Em outras palavras, se a entrada para um concerto de Dylan custasse mais que R$100, você não o veria, mesmo que não tivesse outra coisa para fazer.) Assistir ao espetáculo desses artistas

---

* Para a presente edição de *O naturalista da economia*, procurou-se adaptar os exemplos apresentados à realidade brasileira. Nos casos vinculados especificamente à cultura norte-americana, no entanto, foram mantidas as referências originais. (*N. do E.*)

não envolve qualquer custo adicional. Qual é o custo de oportunidade de comparecer ao concerto de Clapton?

Para assistir ao concerto de Clapton, a única coisa de valor que você precisa sacrificar é ver o concerto de Dylan. Perder esse espetáculo significa deixar de ver um show que valeria até R$100 para você, mas também significa evitar gastar R$80 com o ingresso. Portanto, o valor do que você sacrifica por não ir ao concerto de Dylan é igual a R$100 – R$80 = R$20. Se assistir ao espetáculo de Clapton valer para você pelo menos R$20, você deve fazê-lo. Caso contrário, deve ver Bob Dylan.

O custo de oportunidade é, por consenso, um dos dois ou três conceitos mais importantes em economia básica. No entanto, agora temos provas convincentes de que a maioria dos alunos não domina fundamentalmente esse conceito. Recentemente, os economistas Paul Ferraro e Laura Taylor propuseram a grupos de estudantes o problema Clapton/Dylan para ver se eles seriam capazes de resolvê-lo. Os pesquisadores ofereceram aos alunos quatro opções:

a. R$0
b. R$20
c. R$80
d. R$100

Como vimos, a resposta correta é R$20, o valor daquilo que você sacrifica por não ir ao concerto de Bob Dylan. No entanto, quando Ferraro e Taylor propuseram esse problema a 270 estudantes universitários que já tinham assistido a um curso de economia, apenas 7,4% responderam corretamente. Como havia apenas quatro opções, se os estudantes tivessem escolhido uma resposta ao acaso, 25% teriam optado pela resposta correta. Nesse caso, um conhecimento insuficiente parece ter sido prejudicial.

Quando Ferraro e Taylor apresentaram a mesma questão a 88 estudantes que nunca fizeram um curso de economia, 17,2% responderam corretamente — mais que o dobro do número de acertos dos ex-alunos de economia, porém ainda menos do que a probabilidade do acaso.

Por que os estudantes de economia não tiveram um desempenho melhor? Imagino que seja porque o custo de oportunidade é apenas um entre centenas de conceitos que os professores atiram sobre os alunos num curso fundamental típico. O conceito simplesmente é transmitido de forma confusa. Se os estudantes não dedicarem tempo suficiente a tentar compreendê-lo e não o utilizarem repetidamente em exemplos diferentes, nunca irão assimilá-lo.

No entanto, Ferraro e Taylor sugerem outra possibilidade: os próprios instrutores que ensinam economia talvez não tenham dominado o conceito básico de custo de oportunidade. Quando os pesquisadores propuseram o mesmo problema a uma amostra de 199 economistas profissionais no encontro anual da American Economic Association, em 2005, apenas 21,6% escolheram a resposta correta; 25,1% julgaram que o custo de oportunidade de assistir ao concerto de Clapton era R$0; 25,6% consideraram que era R$80 e 27,6% optaram por R$100.

Quando Ferraro e Taylor examinaram os principais livros-texto de introdução à economia, descobriram que a maioria não dedicava ao custo de oportunidade uma atenção que permitisse aos estudantes acertar a resposta a esse problema. Eles também observaram que o conceito não recebe tratamento aprofundado nos livros voltados aos níveis acima do básico, e que o termo "custo de oportunidade" sequer aparece nos índices dos principais textos de microeconomia para a pós-graduação.

No entanto, o custo de oportunidade explica uma grande quantidade de padrões de comportamento interessantes. Pense, por exemplo, nas grandes diferenças culturais que se observam entre as principais cidades costeiras dos Estados Unidos e as cidades menores do Meio-Oeste. Por que os habitantes de Manhattan tendem a ser rudes e impacientes, mas os moradores de Topeka se mostram amigáveis e corteses?

É claro que é possível questionar essa premissa, mas a maioria das pessoas parece considerá-la bastante adequada. Se pedirmos informações em Topeka, as pessoas param e ajudam; em Manhattan, elas sequer nos olham. Como, em comparação com qualquer cidade do planeta, Manhattan tem os salários mais altos e maior opção de atividades, o custo de oportunidade do tempo dos moradores é muito elevado. Dessa maneira, só se pode esperar que os nova-iorquinos tenham mais pressa em demonstrar impaciência.

Chamei a dissertação de meus alunos de "naturalista da economia" porque ela se inspirou em um tipo de pergunta que um curso de introdução à biologia apresenta aos estudantes. Se você tiver algum conhecimento sobre teoria da evolução, poderá ver coisas que não percebia antes. Ela identifica no mundo texturas e padrões estimulantes que devem ser reconhecidos ou sobre os quais devemos pensar.

Por exemplo, eis uma típica pergunta darwiniana: por que, na maioria das espécies vertebradas, os machos são maiores que as fêmeas? O elefante-marinho macho, por exemplo, ultrapassa os 6m de comprimento e pesa 3t — tanto quanto um automóvel Lincoln Navigator —, enquanto a fêmea pesa somente algo entre 400 e 600kg.

O mesmo tipo de dimorfismo sexual pode ser observado na maioria das espécies vertebradas. A explicação darwiniana para esse fenômeno é que os vertebrados quase sempre são políginos (ou seja, quando possível, os machos acasalam com mais de uma fêmea), portanto, os machos devem competir pela posse das fêmeas. Os elefantes-marinhos machos lutam nas praias durante horas até que finalmente um deles se retira, ferido e exausto.

Os vencedores dessas batalhas passam a ter acesso sexual praticamente exclusivo a haréns de até uma centena de fêmeas. Esse é um prêmio darwiniano do mais alto nível, que explica por que os machos são tão grandes. Um elefante-marinho com um gene mutante que o torne maior provavelmente teria vantagem nas lutas com outros machos, o que significa que esse gene deverá aparecer com mais frequência na próxima geração. Para resumir, os machos são grandes porque um macho pequeno dificilmente tem acesso a uma fêmea.

Uma explicação semelhante justifica as grandes caudas dos pavões. Experimentos já demonstraram que as fêmeas dessa espécie preferem os machos com plumas mais longas na cauda, o que é visto como sinal de saúde, já que um macho cheio de parasitas não consegue manter uma cauda longa e resplandecente.

Tanto para o volumoso elefante-marinho quanto para o pavão de cauda longa, o que é vantajoso para um macho no aspecto individual é desvantajoso em termos coletivos. Para um elefante-marinho de 3t, por exemplo, é mais difícil escapar do grande tubarão-branco, seu principal predador. Se todos os machos pudessem reduzir o próprio peso à metade, cada um deles estaria em situação mais vantajosa. O resultado das lutas seria o mesmo de antes, porém todos seriam mais capazes de escapar dos predadores. Da mesma forma, se todas as caudas de pavão fossem reduzidas à metade, as fêmeas ainda escolheriam os mesmos machos de antes, mas todos os pavões teriam mais condições de evitar os predadores. No entanto, os elefantes-marinhos estão condenados a seu imenso volume e os pavões às longas plumas da cauda.

É claro que essa corrida armamentista evolutiva não prossegue indefinidamente. Em algum momento, o aumento da vulnerabilidade decorrente do grande volume ou das penas mais longas começa a superar o benefício do acesso garantido às fêmeas. Esse equilíbrio de custos e benefícios se manifesta nas características dos machos sobreviventes.

A narrativa do biólogo é interessante e coerente. E parece estar correta. Portanto, se observarmos uma espécie monogâmica, em que os machos e as fêmeas se unem para toda a vida, não encontraremos esse dimorfismo sexual. Essa é "a exceção que prova a regra", no sentido arcaico do verbo "provar": pôr à prova. A poliginia nos levou à previsão de que os machos seriam maiores. Em sua ausência, os machos não são maiores. Por exemplo, como o albatroz é monógamo, a teoria prevê que machos e fêmeas terão aproximadamente o mesmo tamanho, o que de fato acontece.

A visão da biologia sobre o dimorfismo sexual é um sucesso: fácil de lembrar e agradável de contar a terceiros. Se você puder contar uma história como essa e entender por que ela faz sentido, terá uma compreensão muito melhor da biologia do que se apenas memorizar que os pássaros pertencem à classe das aves. O mesmo ocorre com as explicações narrativas baseadas nos princípios da economia.

A maioria dos cursos de Introdução à Economia (nos primeiros tempos, o meu também não foi uma exceção) utiliza pouco a forma narrativa. Em vez disso, esses cursos afogam os estudantes em equações e gráficos. O formalismo matemático foi uma fonte imensamente importante de progresso intelectual na economia, mas não se mostrou um veículo eficaz para apresentar esse tema aos neófitos. À exceção dos estudantes de engenharia e de um punhado de outros alunos com um extenso treinamento prévio em matemática, a maioria dos que tentam aprender os princípios econômicos por meio de equações e gráficos nunca chega a incorporar aquela atitude mental específica conhecida como "pensar como economista". A maioria se esforça tanto para entender os detalhes matemáticos que deixa escapar o raciocínio subjacente às ideias econômicas.

O cérebro humano é um órgão muito flexível, com a capacidade de absorver novas informações de inúmeras formas distintas. Porém, na maioria dos cérebros, a informação é assimilada com mais facilidade de determinadas maneiras. Em muitos casos, os estudantes processam com dificuldade as equações e os gráficos. No entanto, como nossa espécie evoluiu contando histórias, praticamente todo mundo tem facilidade para absorver a mesma informação se tiver a forma de narrativa.

Há vinte anos, esbarrei por acaso nessa percepção quando participava da descrição do programa de disciplinas da Cornell University, atividade inspirada pela pesquisa segundo a qual uma das melhores maneiras de aprender algum assunto é escrever sobre ele. Tal como descreveram Walter Doyle e Kathy Carter, idealizadores da teoria narrativa da aprendizagem: "Em sua essência, a perspectiva narrativa estabelece que os seres humanos têm uma predisposição universal para 'historiar' a própria experiência, ou seja, para interpretar de forma narrativa a informação e a experiência." O psicólogo Jerome Bruner, outro teórico da aprendizagem narrativa, observa que as crianças "transformam as coisas em histórias e, quando tentam compreender a própria vida, utilizam a versão narrada das experiências como base para maior reflexão. (...) E se deixam de captar algo em uma estrutura narrativa, aquilo não é bem lembrado e não parece estar disponível para formas de ponderação mais aprofundadas".

Em suma, aparentemente, a especialidade do cérebro humano é absorver informação na forma narrativa. Minha dissertação de naturalista da economia trabalha diretamente com essa capacidade. Ela requer que o título do trabalho de cada aluno seja uma pergunta. Por três razões considerei proveitoso insistir em que os estudantes formulassem as perguntas mais interessantes. Para começar, para chegarem a uma pergunta interessante, eles teriam de analisar muitas perguntas preliminares, o que, por si só, já é um exercício útil. Em segundo lugar, os alunos que produzem perguntas interessantes têm mais prazer na realização do exercício e dedicam a ele mais energia. Finalmente, o aluno que encontrar uma pergunta interessante provavelmente irá contá-la a outras pessoas. Se não pudermos tirar uma ideia de dentro da sala de aula e utilizá-la, ela não será realmente compreendida. No entanto, uma vez que a utilizemos, ela será nossa para sempre.

O princípio do custo-benefício

O princípio do custo-benefício é a mãe de todas as ideias econômicas. Segundo ele, devemos realizar uma ação se, e somente se, o benefício que obtivermos com sua realização for maior que o custo adicional de realizá-la. É possível um princípio ser mais simples do que isso? No entanto, nem sempre é fácil aplicá-lo.

> *Exemplo 1.* Você está em uma loja, prestes a comprar um despertador de R$40 quando um amigo lhe diz que o mesmo relógio pode ser comprado por R$20 numa loja do outro lado da cidade. Você se desloca para a outra loja e compra o relógio por R$20 ou você o compra na loja em que está? Em ambos os casos, se o relógio apresentar defeito no período de garantia, será preciso enviá-lo ao fabricante para reparos.

Naturalmente, não há resposta certa ou errada. Cada indivíduo terá de pesar os custos e os benefícios relevantes. No entanto, quando perguntamos a várias pessoas o que fariam nessa situação, a maioria afirmou que compraria o relógio do outro lado da cidade.

Agora avalie a seguinte questão:

> *Exemplo 2.* Você está a ponto de comprar um computador portátil por R$5 mil em uma loja próxima à sua casa. É possível

comprar o mesmo laptop numa loja do centro da cidade por R$4.980 (em ambos os casos, a garantia é a mesma: não importa onde seja comprado, se o computador apresentar defeito, deverá ser enviado ao fabricante para reparos). Onde você compraria o laptop?

Dessa vez, a maioria das pessoas afirmou que compraria o equipamento na loja perto de casa. Isoladamente, essa não é uma resposta errada. Mas se perguntarmos o que um indivíduo racional *deveria* fazer nesses dois casos, o princípio do custo-benefício deixa claro que as duas respostas devem ser iguais. Afinal, o benefício de se locomover é, em ambos os casos, R$20, ou seja, o valor economizado. O custo será qualquer valor que se atribua ao desconforto de ir até o centro da cidade. Ele também é igual nos dois casos. E se o custo e o benefício são iguais nos dois casos, então a resposta também deveria ser a mesma.

A maioria das pessoas parece pensar, contudo, que economizar 50% comprando o relógio no centro da cidade é de alguma forma um benefício maior do que poupar apenas R$20 na compra de um laptop de R$ 5 mil. Porém, essa não é a maneira certa de ver a questão. Pensar em termos percentuais é adequado em outros contextos, mas não neste.

Portanto, obviamente, o que devemos fazer é analisar os custos e os benefícios. Ver como funciona o princípio do custo-benefício no contexto de um exemplo surpreendente nos dá uma história interessante para contar. Apresente essas perguntas aos amigos e veja o que eles fazem. Conversar sobre isso aprofundará seu conhecimento sobre esse princípio.

Imediatamente depois de mostrar aos estudantes exemplos que ilustram um princípio geral, eu lhes proponho um exercício que exige deles a aplicação do princípio. Eis a pergunta que formulo depois que eles veem os exemplos do relógio e do computador:

Exemplo 3. Você está para fazer duas viagens de negócios e tem um cupom de desconto que pode usar em apenas uma delas. Você pode economizar US$90 numa viagem de US$200 para

Chicago ou pode economizar US$100 numa viagem de US$2 mil para Tóquio. Em qual viagem você deve usar o cupom?

Quase todo mundo responde, corretamente, que o cupom deve ser usado na viagem a Tóquio, porque a economia é de US$100, o que é melhor que economizar US$90. Mas o fato de todo mundo acertar não implica não valer a pena fazer a pergunta. Mais uma vez, se sua meta é incorporar a seu conhecimento prático as ideias fundamentais, a única forma de fazê-lo é por meio de empenho e repetição.

Escolhi as perguntas deste livro não somente por serem interessantes, mas porque elas envolvem ativamente os princípios mais importantes da economia básica. Minha esperança é que você encontre neste livro um modo fácil e até divertido de aprender esses princípios. Além disso, como as perguntas são interessantes e as respostas, curtas, fornecem bom material para conversação.

Digo a meus alunos que as respostas às perguntas devem ser vistas como hipóteses inteligentes próprias para mais refinamento e teste. Elas não têm de ser definitivas. Quando Ben Bernanke e eu descrevemos em nosso livro-texto de Introdução à Economia o exemplo de Bill Tjoa sobre os teclados dos caixas eletrônicos com caracteres braile, recebi um e-mail irritado afirmando que o verdadeiro motivo é o fato de a legislação norte-americana sobre acessibilidade (Americans with Disabilities Act) exigi-lo. O autor do e-mail enviou um link para uma página na internet que comprovava essa afirmativa. É verdade, há essa exigência de que todos os teclados de caixas eletrônicos sejam codificados em braile, mesmo os das máquinas em drive-ins. Esses teclados podem até ser úteis nas raras ocasiões em que um deficiente visual utilize um caixa eletrônico para motoristas de dentro de um táxi e não queira revelar seu número de identificação ao taxista.

Respondi a meu correspondente que não peço a meus estudantes que a resposta seja correta. Mas também lhe pedi que pensasse nas circunstâncias em que essa legislação foi adotada. Caso fosse significativamente mais caro exigir caracteres braile nas máquinas para motoristas, será que esse regulamento teria sido aprovado? É provável que não. O fato é que incluir os caracteres não envolvia custo adicional. E como os pontinhos de braile não prejudicam e podem até ser úteis, talvez os legisladores tenham achado vantajoso exigi-los. Desse modo, no final do ano poderiam dizer que tinham feito algo útil. Nesse caso, a explicação do Sr. Tjoa faz mais sentido que a do meu irritado correspondente. Mas, em outros casos, deve haver respostas melhores e mais completas.

Portanto, avalie criticamente as respostas. É possível que você tenha conhecimento pessoal que lhe permita melhorá-las. Por exemplo, o proprietário de uma loja de vestidos de noiva revelou que há outra razão pela qual as noivas compram vestidos, em vez de alugá-los: os vestidos de casamento tendem a ser ajustados no tronco, o que exige alterações consideráveis que não poderiam ser realizadas repetidamente em vestidos de aluguel. Esse é um argumento razoável, o qual, porém, não invalida a percepção de natureza econômica contida na explicação de Jennifer Dulski.

1

Caixas de leite retangulares e latas de refrigerante cilíndricas

Aspectos econômicos do desenho industrial

Por que os produtos assumem determinadas formas? Nenhuma resposta inteligente a esta pergunta pode estar completa sem uma invocação, mesmo implícita, ao princípio do custo-benefício. Por exemplo, a explicação de Bill Tjoa para os caracteres em braile nos teclados dos caixas eletrônicos de drive-ins tem por base esse princípio. Os fabricantes mantiveram os caracteres nas máquinas para motoristas porque o custo de produzir dois tipos diferentes de máquina era maior que qualquer estimativa razoável do benefício de removê-los.

Em geral, a indústria não tem interesse em acrescentar uma característica a um produto a não ser que o consequente aumento em seu valor para o consumidor (em outras palavras, seu benefício) seja mais que o suficiente para cobrir-lhe o custo. Em quase todas as situações, o projeto de um produto envolve equilíbrio entre as características que seriam mais agradáveis para o consumidor e a necessidade do vendedor de manter o preço suficientemente baixo para ainda ser competitivo.

Esse equilíbrio é ilustrado de modo claro pela evolução das características dos automóveis. Comprei meu primeiro carro na primavera de 1961, quando estava concluindo o ensino médio. O anúncio classificado em que o encontrei era mais ou menos assim: "Pontiac Chieftain 1955, duas portas, V8, rádio, aquecedor, transmissão manual, US$375 ou pela melhor oferta." Hoje, naturalmente, todos os carros norte-americanos têm aquecedor, mas em 1955 esse item era opcional. Muitos carros vendidos no sul da Flórida, onde eu vivia, não tinham aquecedor. No entanto, mesmo ali, pelo menos em alguns dias do inverno era interessante ter um. Contudo, os salários eram muito mais baixos na época e os compradores aceitavam abrir mão desse luxo em troca de uma pequena vantagem no preço. Naquele tempo, o fabricante que só oferecesse automóveis com aquecedores correria o risco de perder negócios para os rivais que produzissem modelos mais baratos sem esse item.

Porém, com o aumento da renda da população, foi diminuindo sistematicamente o número de consumidores dispostos a tolerar o frio do inverno para economizar alguns dólares. Depois que a demanda por carros sem aquecedor caiu abaixo de certo ponto, as agências de automóveis já não queriam ter esses modelos em suas lojas. Elas podiam fornecê-los por encomenda, a um custo mais alto, mas é claro que ninguém pagaria mais pela opção de não ter um aquecedor. Com o tempo, os automóveis sem aquecedor desapareceram.

O motor V8 de meu Pontiac era uma preferência de muitos compradores de automóveis em 1955, quando a única outra opção amplamente disponível era o motor de seis cilindros. A vantagem do V8 era dar uma aceleração perceptivelmente melhor que a do motor de seis cilindros. Além de ser mais caro, o motor V8 consumia um pouco mais de combustível. Mas a gasolina ainda era barata naquele tempo.

Então, vieram os embargos do petróleo árabe da década de 1970. A gasolina, que em meados de 1973 era vendida nos postos norte-americanos a US$0,10 por litro, no final do mesmo ano passou a ser vendida a US$0,14 por litro. Uma segunda interrupção no fornecimento, em 1979, elevou o preço para US$0,31 em 1980. Por conta desses aumentos, muitos consumidores decidiram que a maior potência do motor V8 já não passava no teste do custo-benefício, e esses motores praticamente desapareceram. Os motores de seis cilindros ainda eram comuns, mas os de quatro cilindros, raramente oferecidos em carros norte-americanos antes da década de 1970, rapidamente se tornaram a opção mais popular.

No início dos anos 1980, nos Estados Unidos, o preço da gasolina estabilizou-se em termos absolutos e, na verdade, começou a cair em relação ao preço de outros bens. Em 1999, o preço do litro de gasolina permaneceu estável em US$0,37, o que, em termos reais, é mais barato que os US$0,10 por litro de 1973 (ou seja, os US$0,37 de 1999 compravam menos bens e serviços do que os US$0,10 teriam comprado em 1973). Portanto, não surpreende que os motores tenham voltado a ficar maiores nos anos 1990.

Como o preço da gasolina tornou a aumentar nos últimos anos, estamos observando uma reedição das tendências da década de 1970. Mesmo antes de o preço ter alcançado US$0,79 por litro em 2005, a Ford Motor Company interrompeu a produção de seu maior utilitário esportivo, o Excursion, que pesa 3t e faz 4km/L de gasolina. Os modelos híbridos mais econômicos são agora tão procurados que as agências de automóveis muitas vezes chegam a vendê-los com ágio.

Em suma, o padrão é que as características de projeto dos produtos são ditadas pelo princípio do custo-benefício. Repetindo: esse princípio afirma que uma ação deve ser realizada se, e somente se, seu benefício for pelo menos tão grande quanto seu custo. Desse modo, uma característica de projeto só deve ser acrescentada a um produto se seu benefício (medido pela quantidade de consumidores dispostos a pagar mais por ela) for pelo menos tão grande quanto seu custo (medido pela despesa extra em que a indústria incorrerá se a característica for acrescentada).

Esse princípio também é visível na evolução dos sistemas de transmissão. A transmissão manual de meu Pontiac 1955 tinha três marchas à frente, o que, na época, era a norma. A transmissão manual do carro que dirijo hoje tem seis marchas à frente. A indústria automobilística poderia facilmente ter fabricado transmissões com seis marchas à frente em 1955. Por que não fez isso?

Mais uma vez, quem produz precisa ponderar o custo da melhora do produto em relação à disposição dos consumidores de pagar por ela. Do ponto de vista do custo, como cada marcha à frente aumenta o custo de produção da transmissão, o preço do carro deve aumentar na razão direta do número de marchas. Será que os consumidores estarão dispostos a pagar o preço mais alto? Do ponto de vista do benefício, acrescentar marchas à frente aumenta tanto a aceleração quanto a economia de combustível. Portanto, a resposta depende de quanto os consumidores estarão dispostos a pagar por essas vantagens.

A menos que a transmissão tenha pelo menos duas, ou mesmo três marchas à frente, um carro dificilmente será funcional. (Se tivesse apenas uma marcha, qual você escolheria? A primeira? A segunda?) Portanto, em matéria de design, meu Pontiac 1955 com três marchas claramente está do lado minimalista. Como somos mais prósperos hoje do que em 1955, estamos dispostos a pagar mais por mais aceleração. Um número maior de marchas à frente também é mais atraente porque a gasolina economizada é mais cara do que costumava ser. Juntas, essas mudanças explicam o desaparecimento das transmissões manuais com três marchas à frente.

Os exemplos discutidos neste capítulo deixam claro que o mesmo princípio do custo-benefício que governa a evolução do projeto de automóveis também se aplica a praticamente todos os produtos e serviços. Os três primeiros exemplos ilustram a ideia de que uma característica tem menos probabilidade de ser acrescentada ao produto se a situação em que ela pode ser útil for relativamente rara.

Por que uma lâmpada é acesa quando abrimos a porta do refrigerador, mas não quando abrimos o freezer? *(Karim Abdallah)*

Ao buscar uma resposta a esta pergunta, a tendência do naturalista da economia é examinar os custos e os benefícios relevantes. Num eletrodoméstico que reúne refrigerador e freezer, o custo para instalar uma lâmpada que é acesa automaticamente quando a porta é aberta é essencialmente o mesmo para ambos os compartimentos. Além disso, trata-se de algo que os economistas chamam de custo fixo, o que, nesse contexto, significa que o custo não varia em função do número de vezes que a porta é aberta. Do ponto de vista do benefício, ter uma lâmpada dentro de cada um dos comportamentos facilita encontrar o que se deseja. Como a maioria das pessoas abre muito mais o refrigerador do que o freezer, o benefício de ter uma lâmpada no primeiro compartimento é consideravelmente maior. Como o custo de acrescentar uma lâmpada é o mesmo em ambos os casos, o teste do custo-benefício de se acrescentar uma lâmpada tem mais probabilidade de ser atendido no caso do refrigerador do que no caso do freezer.

É evidente que nem todos os consumidores atribuem o mesmo valor à conveniência de ter uma lâmpada no freezer. Em geral, o benefício dessa característica, medido pelo valor que os indivíduos estão dispostos a pagar por ela, tende a aumentar à medida que aumenta a renda. Desse modo, o princípio do custo-benefício prevê que os consumidores com renda extremamente elevada devam considerar que o conforto de ter uma lâmpada no freezer vale o custo adicional. E realmente alguns refrigeradores estão equipados com lâmpada não somente no freezer, mas também na gaveta independente para gelo. O preço dessa unidade? Nos Estados Unidos, US$14.450. Esse equipamento, portanto, é mais um exemplo de exceção que confirma a regra.

Por que os computadores portáteis funcionam na voltagem de qualquer país, enquanto outros equipamentos não fazem isso? *(Minsoo Bae)*

Embora nos Estados Unidos a corrente para uso doméstico seja fornecida principalmente a 110 volts, em muitos outros países o padrão de corrente é 220 volts. O cabo de força dos computadores portáteis tem um transformador interno, o que significa que os laptops podem operar em ambos os padrões de voltagem. Por outro lado, as televisões e os refrigeradores só operam no padrão para o qual foram manufaturados. Para utilizar na França um refrigerador norte-americano é preciso comprar um transformador que converta para 110 volts a fonte francesa de 220 volts. Da mesma forma, para utilizar nos Estados Unidos uma televisão coreana é preciso comprar um transformador à parte, que converta a energia americana de 110 volts para 220 volts. Por que todos os aparelhos elétricos não têm a mesma versatilidade dos computadores portáteis?

Fornecer energia elétrica a 220 volts, em vez de 110, é um pouco mais barato, porém ligeiramente mais perigoso. A maioria dos países promoveu um debate considerável sobre qual sistema adotar; porém, uma vez tomada a decisão, fez-se um grande investimento de capital no sistema escolhido. Portanto, não é realista esperar que os países uniformizem o padrão de voltagem no futuro próximo. Logo, quem costuma viajar de um país para outro com seus eletrodomésticos tem de procurar meios de garantir que eles funcionem em padrões de voltagem diferentes.

Acrescentar um transformador interno a cada aparelho seria uma forma de atender a essa demanda, mas isso também aumentaria o custo do equipamento. Considerando-se que a maioria dos refrigeradores, lavadoras, televisões e outros aparelhos eletrodomésticos vendidos em qualquer país nunca viajam para outros países, não faz sentido arcar com o custo adicional de instalar transformadores internos.

Os laptops constituíram uma evidente exceção, principalmente nos primeiros dias de sua fabricação. Os primeiros usuários eram majoritariamente indivíduos que levavam esses equipamentos em suas viagens de negócios, tanto domésticas quanto internacionais. Para essas pessoas, ter de carregar um volumoso transformador num voo internacional seria um inconveniente inaceitável. Desse modo, os fabricantes de computadores portáteis desde o início incluíram transformadores internos em seus produtos.

Por que as lojas de conveniência abertas 24 horas têm fechaduras nas portas?
(Leanna Beck, Ebony Johnson)

Muitas lojas de conveniência ficam abertas 24 horas, 365 dias por ano. Uma vez que as portas nunca são trancadas, por que se preocupam em instalar portas com fechaduras?

Sempre é possível, evidentemente, que uma emergência force uma dessas lojas a ficar fechada, pelo menos por algum tempo. Na esteira do furacão Katrina, por exemplo, os moradores de Nova Orleans foram obrigados a sair da cidade em um prazo mínimo. Nem é preciso dizer que uma loja destrancada e sem funcionários seria alvo fácil para saqueadores.

No entanto, mesmo que houvesse a certeza de nunca fechar, é duvidosa a possibilidade de uma loja considerar vantajoso comprar uma porta sem fechaduras.

A maioria das portas industriais é vendida para estabelecimentos que não ficam abertos 24 horas. Esses estabelecimentos têm razões óbvias para desejar uma fechadura na porta. Portanto, como a maioria das portas industriais é fornecida com fechaduras, provavelmente é mais barato fazer todas as portas da mesma forma, assim como é mais barato colocar caracteres braile em todos os teclados de caixas eletrônicos, mesmo naqueles destinados a motoristas.

Às vezes, tal como indicam os dois próximos exemplos, os detalhes do projeto do produto parecem ser ditados, em parte, por leis da geometria.

Por que o leite é vendido em recipientes retangulares, enquanto os refrigerantes vêm em embalagens cilíndricas?

Praticamente, todos os recipientes de refrigerantes, quer de alumínio, quer de vidro, são cilíndricos. Os recipientes de leite quase sempre têm o corte transversal retangular. Os recipientes retangulares utilizam o espaço de prateleira de maneira mais econômica que os cilíndricos. Desse modo, por que as fábricas de refrigerantes continuam a usar recipientes cilíndricos?

Uma explicação possível é o fato de os refrigerantes quase sempre serem consumidos diretamente da embalagem, o que justifica o custo adicional de armazenar recipientes cilíndricos, uma vez que eles são mais confortáveis de segurar. O mesmo não ocorre com o leite, que, normalmente, não é consumido diretamente da embalagem.

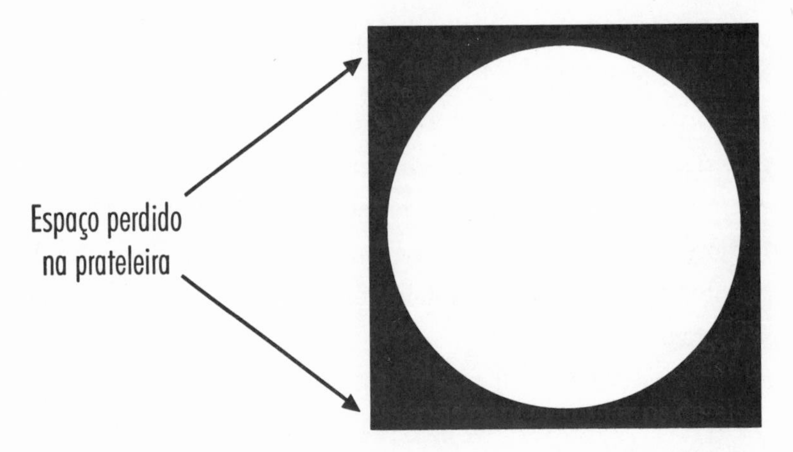

Se as caixas de leite fossem cilíndricas, precisaríamos de refrigeradores maiores.

Contudo, mesmo que a maioria das pessoas bebesse o leite diretamente da embalagem, o princípio do custo-benefício indica ser improvável sua venda em recipientes cilíndricos. Embora os recipientes retangulares economizem espaço na prateleira, seja qual for seu conteúdo, o espaço economizado é mais valioso no caso do leite que no caso dos refrigerantes. Nos supermercados, a maioria dos refrigerantes fica armazenada em prateleiras abertas, que são baratas e não têm custo operacional. O leite, em alguns países, só é armazenado em gabinetes refrigerados, que não só custam caro, mas também têm alto custo operacional. Consequentemente, o espaço de prateleira nesses gabinetes é precioso, daí o benefício adicional de embalar o leite em recipientes retangulares.

Por que a fabricação das latas de alumínio para refrigerante custa mais do que o necessário? *(Charles Redding)*

A função da lata de refrigerante é guardar a bebida. Os recipientes de alumínio para refrigerante com capacidade de 350mL vendidos na maior parte do mundo são cilindros quase duas vezes mais altos (altura = 12cm) do que largos (diâmetro = 6,5cm). Se essas latas fossem mais baixas e mais largas, gastariam uma quantidade muito menor de alumínio. Por exemplo, uma lata cilíndrica com 7,8cm de altura e 7,6cm de diâmetro gastaria aproximadamente 30% menos alumínio que a lata comum, e conteria o mesmo volume. Se as latas mais baixas custariam menos, por que os refrigerantes ainda são vendidos nas latas mais altas?

Uma resposta cabível é a possibilidade de enganar os consumidores pela ilusão vertical — uma ilusão de ótica muito conhecida pelos psicólogos. Por exemplo, quando se pergunta qual das duas barras é mais comprida na figura da página 38, a maioria das pessoas responde com segurança que é a barra vertical. No entanto, é fácil verificar que ambas têm exatamente o mesmo comprimento.

Os consumidores talvez relutassem em comprar os refrigerantes das latas mais baixas, acreditando que elas contêm menos líquido. Essa explicação, contudo, levaria a crer que a concorrência está deixando passar boas oportunidades de lucro, ou seja, se uma ilusão de ótica fosse o único empecilho para os consumidores escolherem as latas mais baixas, vendedores rivais poderiam oferecer refrigerante nessas latas, indicando, em linguagem clara, que suas embalagens têm o mesmo conteúdo das latas tradicionais. E como as latas mais baixas são mais baratas, quem as utilizasse poderia oferecer preços um pouco mais baixos que os dos produtores tradicionais, ainda tendo todos os custos cobertos. Portanto,

As latas de refrigerante gastariam menos alumínio se fossem mais baixas e mais largas.

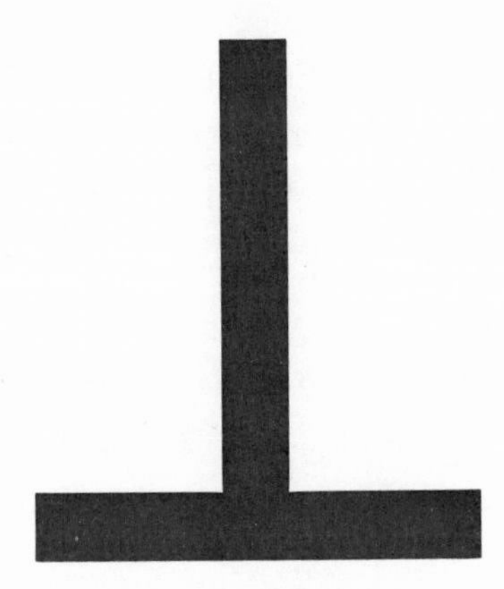

A ilusão vertical: embora pareça, a barra vertical não é mais longa.

se uma ilusão de ótica fosse o único problema, haveria a oportunidade de lucro fácil à disposição dos concorrentes.

Outra possibilidade é que os consumidores de refrigerante prefiram a aparência da lata mais alta. Mesmo sabendo que ela contém exatamente a mesma quantidade de refrigerante que a versão mais baixa, eles talvez estejam dispostos a pagar uma pequena quantia a mais por isso, assim como estão dispostos a pagar mais por um quarto de hotel com vista agradável.

AS CARACTERÍSTICAS DE PROJETO DOS PRODUTOS, às vezes, refletem considerações sofisticadas sobre a forma como atributos diferentes afetam o comportamento do usuário. Por exemplo, alguém que deseja evitar multas por excesso de velocidade poderia estar disposto a pagar mais por um automóvel equipado para soar um alarme quando o motorista exceder o limite de velocidade autorizado. Os dois próximos exemplos ilustram produtos que refletem decisões estratégicas da parte dos fabricantes sobre como determinadas características de projeto afetarão o uso do produto.

Por que nos Estados Unidos os jornais, mas não os refrigerantes, são vendidos em máquinas que permitem aos compradores levar mais unidades do que as que foram pagas? *(Brendan Quigley)*

Se colocarmos oito moedas de US$0,25 em uma máquina de vender refrigerantes e apertarmos o botão escrito Coca-Cola, uma lata de 350mL de refrigerante gelado vai cair em uma abertura. Se você quiser uma segunda lata, terá de depositar mais oito moedas. Por outro lado, se você colocar quatro moedas de US$0,25 numa máquina de fornecimento de jornais, a porta dianteira será aberta, dando fácil acesso a uma pilha da última edição do *The New York Times.* É claro que você só tem direito a pegar um, e a maioria dos compradores respeita esse limite. Mas por que as máquinas de vender jornais são feitas com um padrão de segurança tão baixo?

A vantagem óbvia é o custo de fabricação mais baixo dessas máquinas. Elas não precisam contar com dispositivos mecânicos complexos para colocar um único jornal numa janela. As moedas acionam uma alavanca simples que libera a fechadura da porta frontal da máquina; a alavanca volta à posição inicial quando a porta é fechada. As máquinas de venda de refrigerantes também seriam mais baratas se fossem construídas desse modo. Portanto, o motivo da difere nça de projeto deve estar do lado do benefício.

A maior diferença entre os dois produtos é que, enquanto um consumidor desonesto leva vantagem se pegar mais refrigerantes do que o que pagou, não haveria razão alguma para levar mais do que um jornal. Ter dez cópias do jornal não o deixa em melhor situação do que se tiver apenas uma.

Por que, em alguns automóveis, a porta do tanque de gasolina fica do lado do motorista enquanto em outros fica do lado do passageiro? *(Patty Yu)*

Quando se dirige um carro alugado, uma das experiências mais frustrantes é entrar no posto de gasolina da mesma maneira que você entra com seu carro e descobrir que a porta do tanque de combustível fica no lado do carro que está mais distante da bomba. A indústria automobilística poderia eliminar essa dificuldade simplesmente colocando as portas do tanque de gasolina sempre do mesmo lado do carro. Por que isso não é feito?

Nos Estados Unidos e em outros países, em que o motorista dirige do lado direito da rua, é mais fácil fazer uma curva à direita do que virar

As filas para abastecer seriam maiores se a porta do tanque de gasolina ficasse sempre do lado do motorista.

à esquerda, na contramão do tráfego. Consequentemente, a maioria dos motoristas abastece o automóvel em postos de gasolina nos quais possa entrar virando à direita. Imagine que o tanque de gasolina sempre fosse localizado do lado do motorista. Nesse caso, para abastecer, os motoristas teriam de parar do lado direito das bombas de gasolina. Nas horas de muito movimento, todas as bombas do lado direito estariam ocupadas, enquanto muitas das bombas do lado esquerdo estariam desocupadas.

Colocar a entrada do tanque de gasolina em lados diferentes dos automóveis, portanto, significa que alguns carros podem utilizar as bombas que ficam à esquerda. Isso reduz a probabilidade de que o motorista tenha de fazer fila para abastecer. Esse benefício, certamente, supera o custo de ocasionalmente estacionar na bomba de gasolina pelo lado errado, quando se dirige um carro alugado.

Em alguns casos, o projeto de um produto é ditado não só por sua provável utilização, mas também pela necessidade de prestar alguma informação ao usuário. Como ilustram os dois próximos exemplos, é mais fácil absorver e mais barato produzir a informação se ela tiver determinadas formas.

Por que quase todos os táxis de Manhattan são sedãs amarelos, enquanto em Ithaca muitos táxis são minivans de cores variadas? *(Andrei Tchernoivanov)*

Se do topo do edifício Empire State olharmos para baixo, para a rua 34, julgaremos que 70% dos veículos em circulação são sedãs amarelo vivo. A não ser por um eventual Lotus ou Lamborghini, praticamente todos esses veículos amarelos são táxis, a maioria sedãs Ford do modelo Crown Victoria. Em Ithaca, uma pequena cidade universitária a noroeste de Nova York, nenhum táxi é amarelo e quase todos são minivans. Por que há essa diferença?

Embora em Manhattan seja possível pedir um táxi por telefone, com muito mais frequência acenamos para algum que esteja passando. Portanto, é vantajoso para os táxis ter a maior visibilidade possível. As pesquisas mostraram que amarelo-vivo é a melhor cor para essa finalidade. (Já se pensou que o vermelho fosse a cor mais visível, razão pela qual os carros de bombeiros foram pintados nessa tonalidade. No entanto, muitas corporações de bombeiros já começaram a pintar suas viaturas de amarelo.)

Em Manhattan, geralmente o táxi ocupado leva apenas um passageiro. Além disso, dificilmente o motorista teria alguma vantagem se pudesse transportar mais do que quatro pessoas. Desse modo, é mais provável que os motoristas de táxi de Nova York se sintam atraídos pelos sedãs, porque são mais baratos que minivans e podem facilmente atender à maioria das demandas.

O padrão de demanda por táxis é diferente em Ithaca. É muito mais barato manter um automóvel em Ithaca do que em Manhattan, onde só o estacionamento pode custar mais de US$500 mensais. Portanto, a maioria dos habitantes de Ithaca tem carro. Como poucos desses moradores fazem uso de táxis, não é interessante para os taxistas circularem pelas ruas. Em vez disso, os usuários pedem o táxi por telefone. Logo, os motoristas de táxi daquela cidade não veem vantagem em pintar os veículos de amarelo.

Alguém poderia argumentar que os táxis de Nova York são amarelos porque a legislação da cidade exige que todos os táxis que circulam pelas ruas sejam dessa cor. É verdade, mas esse questionamento lembra o argumento de meu correspondente irritado de que os caixas automáticos para motoristas têm caracteres braile porque a legislação assim o exige. Quando os agentes reguladores dos serviços de táxi, após uma série de escândalos na área, adotaram a regra da cor, seu objetivo era dar aos passageiros meios de identificar os táxis legalmente licenciados. O agente regulador escolheu o amarelo porque era a cor predominante nos táxis da época. A hipótese de que os táxis são amarelos pela alta visibilidade da cor explica, de modo plausível, por que antes de o regulamento ser adotado a maioria desses veículos tinha a cor amarela.

Os motoristas de táxi de Ithaca preferem minivans porque os passageiros naquela cidade geralmente circulam em grupos. Os estudantes e outros moradores que não possuem carro tendem a ter uma renda baixa; portanto, acham interessante economizar compartilhando os táxis. Por exemplo, enquanto o táxi do aeroporto LaGuardia costuma transportar apenas um passageiro para o centro da cidade, o do aeroporto de Ithaca tipicamente transporta grupos de seis ou mais pessoas.

Por que as efígies em moedas aparecem de perfil, enquanto os retratos no papel-moeda são frontais? *(Andrew Lack)*

Examine as moedas dos Estados Unidos e você perceberá que os rostos dos ex-presidentes que aparecem nas moedas de US$0,01 (Lincoln), US$0,05 (Jefferson), US$0,10 (Roosevelt), US$0,25 (Washington) e US$0,50 (Kennedy) estão todos de perfil. Mas observe o papel-moeda e você não verá perfis. Nas notas, os retratos artísticos dos presidentes Washington (US$1), Lincoln (US$5), Hamilton (US$10), Jackson (US$20), Grant

(US$50) e Franklin (US$100) mostram os retratados de frente. Com raras exceções, o mesmo padrão é seguido em outros países: perfis nas moedas e retratos frontais nas notas. Qual a razão dessa diferença?

Uma resposta sucinta seria que, embora os artistas em geral prefiram os retratos frontais, as complexidades técnicas de gravar em metal dificultam criar em moedas um retrato de frente que possa ser reconhecido. Tipicamente, o relevo da efígie em moedas deve ser menor que 4mm, o que dificulta conseguir o nível de detalhe necessário para representar de frente um rosto que possa ser reconhecido com facilidade. Por outro lado, quando é representado de perfil, o indivíduo retratado pode ser facilmente reconhecido apenas pela silhueta. Os detalhes necessários para um retrato frontal fiel poderiam ser gravados em moedas, porém a um custo considerável. E os detalhes mais sutis seriam rapidamente perdidos com a circulação das moedas.

Se é mais fácil produzir e reconhecer os perfis, por que não colocá-los também nas notas? No papel-moeda, a complexidade dos retratos de frente ajuda a dificultar as falsificações.

OS DOIS ÚLTIMOS EXEMPLOS deste capítulo ilustram o fato de que características do projeto de um produto, às vezes, só podem ser compreendidas se levarmos em conta as injunções históricas.

Por que os DVDs são vendidos em embalagens muito maiores que as dos CDs, embora ambos os tipos de disco tenham exatamente o mesmo tamanho? *(Laura Enos)*

Os CDs são vendidos em caixas de 148mm de largura por 125mm de altura. Por outro lado, os DVDs são vendidos em caixas de 148mm de largura por 191mm de altura. Por que usar embalagens tão diferentes para discos de tamanhos idênticos?

Um pouco de pesquisa revela as origens históricas dessa diferença. Antes do advento do CD digital, a música costumava ser vendida em discos de vinil, que eram embalados em envelopes justos que mediam 302mm^2. As prateleiras em que os discos de vinil eram exibidos tinham exatamente a largura necessária para acomodar duas fileiras de caixas de CDs, com uma divisória entre elas. Fazer as caixas de CD um pouco menores que a metade da largura da capa de um disco de vinil, que os CDs estavam substituindo, permitia às lojas evitar o custo substancial de trocar as prateleiras de armazenamento e exibição.

Considerações similares parecem ter levado à decisão sobre a embalagem do DVD. Antes da popularização desses discos, a maioria das locadoras de filmes tinha videoteipes no formato VHS, embalados em caixas justas que mediam 135mm de largura por 191mm de altura. Os vídeos em geral eram armazenados lado a lado, com a lombada para fora. Fazer as caixas de DVD da mesma altura permitiu às lojas exibir o novo estoque de DVDs nas prateleiras já existentes, enquanto os consumidores estavam no processo de migração para o novo formato. Fazer a caixa DVD da mesma altura da capa dos VHS também tornou a troca mais atraente para os consumidores, já que eles podiam guardar seus novos discos nas mesmas prateleiras em que guardavam as fitas VHS.

Por que as roupas femininas são abotoadas a partir da esquerda, enquanto as roupas masculinas o são pelo lado direito? *(Gordon Wilde, Katie Willers e outros)*

Não é surpresa alguma que a indústria do vestuário adote os mesmos padrões para as diversas características dos trajes comprados por determinados grupos. O que parece estranho, porém, é que o padrão adotado para mulheres seja precisamente o oposto do adotado para homens. Se o padrão fosse completamente arbitrário, isso não seria problema. Mas o padrão masculino parece mais adequado também para as mulheres. Afinal, aproximadamente 90% da população mundial — masculina e feminina — é destra, e é um pouco mais fácil para pessoas destras abotoar a camisa pelo lado direito. Portanto, por que as roupas femininas são abotoadas pelo lado esquerdo?

Esse é um exemplo no qual a história parece *realmente* fazer diferença. No século XVII, quando apareceram, os botões só eram usados nos trajes dos ricos. Naquela época, os homens costumavam se vestir sozinhos,

Em matéria de vestuário, a história faz diferença.

enquanto as mulheres eram vestidas por criadas. Fazer a abotoadura das roupas femininas no lado esquerdo facilitava o trabalho da maioria das criadas destras que as vestiam. Fazer a abotoadura das camisas masculinas do lado direito fazia sentido, não somente porque a maioria dos homens se vestia sem ajuda, mas também porque seria menos provável que uma espada sacada do quadril esquerdo com a mão direita ficasse presa na camisa.

Hoje, praticamente mulher alguma é vestida por uma criada, portanto, por que a abotoadura do lado esquerdo continua a ser a norma feminina? Uma vez estabelecida, uma norma resiste a mudanças. Numa época em que todas as blusas de mulher são abotoadas pelo lado esquerdo, um fabricante correria risco se oferecesse blusas abotoadas pelo lado direito. Afinal, as mulheres estão acostumadas ao padrão e teriam de desenvolver novos hábitos e habilidades para mudá-lo. Além dessa dificuldade prática, algumas mulheres também poderiam considerar socialmente incômodo aparecer em público com blusas abotoadas à direita, já que quem percebesse essa situação poderia pensar que elas estavam usando uma camisa masculina.

2

Amendoins de graça e baterias caras

A oferta e a procura em ação

Conta-se a história de dois economistas que estavam a caminho do almoço quando viram o que parecia ser uma nota de R$100 jogada na calçada. Quando o economista mais jovem se abaixou para pegá-la, o colega mais velho o conteve, dizendo:

— Isso não pode ser uma nota de R$100.

— Por que não? — perguntou o mais jovem.

— Se fosse — responde o outro —, alguém já teria pegado.

É claro que o economista mais velho pode estar errado. No entanto, sua advertência expressa uma verdade importante que as pessoas muitas vezes ignoram. O princípio de "não deixar dinheiro solto na mesa"* afirma que nenhum dinheiro fica disponível por muito tempo sem ser recolhido por alguém. No futuro, tal como no passado, a única maneira de ganhar fortunas será reunindo talento, economia, trabalho árduo e sorte.

Dezenas de milhões de norte-americanos, porém, parecem acreditar que podem ficar ricos de uma hora para outra. Em 1990, eles viram

---

* Tradução literal da expressão "no cash on the table". *(N. do E.)*

isso acontecer a pessoas que simplesmente transferiram seu dinheiro das ações de empresas tradicionais, como General Electric ou Procter & Gamble, para as de empresas como a Oracle, Cisco Systems e outras ações de alta tecnologia que encabeçaram a elevação explosiva do Índice Nasdaq. Mais recentemente, eles viram outros ficarem ricos da noite para o dia pegando o máximo possível em empréstimos e comprando imóveis que, por critérios tradicionais, estavam completamente fora de seu alcance.

Aqueles que se julgam capazes de encontrar oportunidades produzem com segurança explicações sobre por que as limitações habituais não se aplicam. Na década de 1990, por exemplo, muitos analistas financeiros agressivos insistiam que as fórmulas tradicionais de cotação já não eram válidas porque a internet estava mudando as regras do jogo. E com o comércio eletrônico entre empresas ("business-to-business") reduzindo em mais de 30% o custo operacional de algumas companhias, não havia muita dúvida de que as novas tecnologias estavam gerando ganhos de produtividade espetaculares.

No entanto, como todos nós agora sabemos, e deveríamos ter sabido na época, o valor real de uma empresa de comércio eletrônico não depende dos ganhos de produtividade que ela possibilita, mas de quanto lucro ela gera. As novas tecnologias continuarão a gerar avalanches de lucros para as empresas que as adotarem com relativa rapidez. Porém, tal como no passado, quando concorrentes adotam as mesmas tecnologias, em longo prazo a economia resultante não será captada na forma de maiores lucros para os produtores, mas na forma de preços mais baixos para os consumidores. Assim, os fazendeiros do setor dos laticínios que adotaram rapidamente a somatotropina bovina, o hormônio que aumenta em até 20% a produção de leite, colheram benesses de curto prazo. Quando o uso do hormônio se disseminou, o aumento de produção forçou consistentemente para baixo os preços do leite, corroendo a margem de lucro.

Uma trajetória semelhante do lucro acabou por caracterizar a maioria dos fornecedores de tecnologia negociados na Nasdaq. Organizadores do comércio eletrônico business-to-business podem de fato ter propiciado à indústria centenas de bilhões de dólares de economia. Mas, como as novas empresas de tecnologia não estão mais protegidas da concorrência que os fazendeiros do setor de laticínios, a maior parte dessa economia tomou a forma de preços mais baixos para os produtos, e não de maiores lucros.

O princípio de "não deixar dinheiro solto na mesa" nos lembra que devemos ter cuidado com oportunidades que parecem boas demais para ser verdade. Esse princípio previu a espetacular quebra da Nasdaq que ocorreu em março de 2000. Porém, juntamente com o princípio do custo-benefício, ele nos ajuda a entender padrões menos espetaculares dos mercados mais tradicionais. Vejamos, por exemplo, o preço de venda de produtos.

Como o gosto e a renda das pessoas são diferentes, a quantia que elas estão dispostas a pagar por qualquer bem costuma variar dentro de uma ampla faixa. No entanto, como argumentou Adam Smith em *A riqueza das nações*, o preço de um produto não deve exceder o custo de produzi-lo ao longo do tempo. Caso contrário, oportunidades de lucro induziriam concorrentes a entrar no mercado. E eles continuariam a entrar no mercado até que o aumento da oferta fizesse o preço se equiparar ao custo.

No entanto, são muitos os casos em que compradores diferentes parecem pagar preços substancialmente diversos por bens e serviços essencialmente idênticos. Esses exemplos parecem contradizer o princípio de "não deixar dinheiro solto na mesa". Por que a concorrência dos vendedores rivais não força todos os preços para o mesmo patamar? Muitos dos exemplos que veremos no Capítulo 4 estão diretamente relacionados a essa questão. Por enquanto, é suficiente dizer que, em muitos mercados, a concorrência efetivamente leva o preço para um único patamar.

Por exemplo, dentro de limites muito estreitos, o ouro é vendido pelo mesmo preço em Nova York e em Londres; e é vendido pelo mesmo preço a executivos de corporações e a professores da escola fundamental. Se não fosse assim, haveria "dinheiro solto na mesa". Imagine, por exemplo, que o grama de ouro fosse vendido por US$800 em Nova York e por US$900 em Londres. Nesse caso, alguém poderia comprar 1g de ouro em Nova York e imediatamente auferir um lucro de US$100, revendendo-o em Londres. A lei do preço único — que, na verdade, é apenas outra maneira de expressar o princípio de "não deixar dinheiro solto na mesa" — afirma que, em termos gerais, o preço do ouro nas duas cidades não diferirá de um valor maior que o custo de enviar o material de uma cidade para outra.

A lei do preço único se aplica com maior intensidade a commodities e serviços que são vendidos em mercados perfeitamente competitivos, que são aqueles em que um grande número de fornecedores vende produtos altamente padronizados. O mercado do ouro é um exemplo clássico. O ouro é uma commodity altamente padronizada e é relativamente fácil para uma nova empresa entrar no mercado sempre que surgir uma oportunidade de lucro, e onde ela surgir.

O que impõe a lei do preço único é a possibilidade de arbitragem, ou seja, comprar um bem a um preço tendo a oportunidade de revendê-lo sem risco por um valor mais alto. Um homem rico pode estar disposto a pagar pelo quilo de sal um valor maior do que o que um pobre pagaria, simplesmente por ter um poder de compra maior. No entanto, o preço do sal é o mesmo para todos. A lei do preço único afirma que qualquer fornecedor que procure explorar a disposição do rico para pagar mais imediatamente criará oportunidades de lucro para os concorrentes. E mesmo que todos os comerciantes conspirassem para cobrar preços mais altos dos compradores ricos, pobres que praticassem a arbitragem poderiam prejudicar esse esforço. Esses pobres poderiam comprar sal pelo preço mais baixo e revendê-lo para os ricos, com lucro, cobrando um pouco menos que o preço cobrado aos ricos. À medida que um número cada vez maior de pobres procurasse tirar vantagem da oportunidade, a diferença de preço se aproximaria cada vez mais de zero.

O modelo econômico da oferta e da procura é essencialmente uma história sobre as forças que determinam quais produtos serão produzidos, em que quantidade e a que preço. A demanda por um produto é uma medida de quantas pessoas estão dispostas a pagar por ele. Em outras palavras, ela é um resumo dos benefícios que os indivíduos acham que terão se consumirem aquele produto. Os indivíduos continuarão a comprar um produto enquanto o valor que eles atribuem à última unidade adquirida for pelo menos igual ao preço. Em geral, à medida que o preço de um bem aumenta, a quantidade demandada diminui.

A oferta de determinado produto é uma medida global dos termos nos quais os produtores estão dispostos a colocá-lo à venda. A regra básica da oferta é que os produtores continuarão a colocar o produto à venda enquanto o preço pelo qual ele pode ser vendido for pelo menos igual a seu custo marginal — o custo de produzir a última unidade fornecida. No curto prazo, o custo marginal tende a aumentar com o aumento do número de unidades produzidas. (Isso é, em parte, uma consequência do princípio da "fruta no galho baixo", segundo o qual sempre é melhor explorar primeiro a melhor oportunidade.) Desse modo, do ponto de vista da oferta, em geral, à medida que o preço de um bem aumenta, os fornecedores querem vender mais unidades.

Diz-se que o mercado de determinado produto está em equilíbrio quando o número de consumidores dispostos a comprá-lo pelo preço vigente é igual à quantidade que os fornecedores desejam vender. O preço em que a oferta e a demanda se igualam é chamado *preço de equilíbrio.*

O modelo da oferta e da procura tem o imenso poder de extrair padrões organizados da cacofonia de informações com que somos diariamente bombardeados no mercado.

Como o preço de mercado resulta do equilíbrio entre o lado da oferta e o da procura, nunca é correto explicar alterações do preço ou da quantidade tomando como referência apenas a oferta ou a demanda. Contudo, muitos padrões importantes do mercado podem ser compreendidos se nos focarmos nos fornecedores, em alguns casos, e nos consumidores, em outros. A primeira sequência de exemplos descreve fenômenos dirigidos principalmente pelo lado da demanda (ou do comprador) da transação.

Por que muitos bares cobram dos clientes a água, mas fornecem amendoins de graça?

Alguns bares nos Estados Unidos cobram até US$4 por uma garrafa de meio litro de água, enquanto tratam de deixar bem à mão uma tigela cheia de amendoins salgados, gratuitamente. Como os amendoins têm um custo de produção maior que o da água, não deveria acontecer o contrário?

A chave para entender essa prática é reconhecer que os termos em que os bares oferecem tanto a água quanto o amendoim são ditados pelos efeitos dessas commodities sobre a demanda dos produtos essenciais do bar, as bebidas alcoólicas. Amendoim salgado e bebida alcoólica são bens complementares. Quem comer mais amendoim consumirá mais cerveja ou mais coquetéis. Como os amendoins são relativamente baratos, e cada bebida alcoólica gera uma margem de lucro relativamente alta, colocar amendoim salgado à disposição costuma aumentar o lucro dos bares.

Por outro lado, a água e as bebidas alcoólicas se substituem. Quanto mais água o cliente beber, menos bebidas alcoólicas consumirá. Portanto, mesmo que a água seja relativamente barata, os bares têm um incentivo para cobrar alto preço por ela, desencorajando, dessa forma, seu consumo.

Por que muitos fabricantes de computadores oferecem de graça programas cujo valor de mercado supera o preço do próprio computador?

Hoje, quem compra um computador novo descobre que o disco rígido da máquina já contém não só o mais moderno sistema operacional, mas também os programas mais recentes de processamento de texto, planilha, apresentação, correio eletrônico, música e fotografia, sem falar da mais nova proteção contra vírus. Por que dar de presente todos esses programas caros?

Os usuários de programas atribuem grande valor à compatibilidade do produto. Quando cientistas ou historiadores estão trabalhando juntos num projeto, por exemplo, sua tarefa será muito simplificada se todos utilizarem o mesmo programa de processamento de texto. Do mesmo modo, na época de declarar os impostos, a vida de um executivo se tornará muito mais fácil se seu programa financeiro for o mesmo utilizado por seu contador.

Outra consideração é que muitos programas, como o Microsoft Word, são de difícil aprendizagem. Quem se torna proficiente em um programa geralmente resiste a aprender outro, mesmo que o outro seja objetivamente melhor.

A consequência é que o benefício de possuir e utilizar qualquer programa aumenta com o número de pessoas que o utilizam. Esse relacionamento incomum dá enorme vantagem aos donos dos programas mais populares e dificulta a entrada de novos programas no mercado.

Reconhecendo esse padrão, a Intuit Corporation ofereceu aos fabricantes de computadores cópias gratuitas do Quicken, seu programa pessoal de administração financeira. Os fornecedores de computador ficaram muito felizes em incluir o programa, que tornava seus novos equipamentos mais atraentes aos compradores. Rapidamente, o Quicken se transformou no padrão para programas pessoais de administração financeira. Ao distribuir cópias de seu programa, a Intuit financiou-lhe o sucesso, gerando uma imensa demanda por produtos complementares, como novas versões do próprio programa ou versões mais avançadas de programas relacionados. Assim, o Turbo Tax e o Macintax, os programas pessoais para cálculo de Imposto de Renda da Intuit, se tornaram o padrão em software para preparação de declarações tributárias.

Inspirados por essa história de sucesso, outros desenvolvedores de software acabaram por adotar o mesmo procedimento. Há, inclusive, rumores de que alguns deles pagam aos fabricantes de computadores para incluir seus programas.

Por que, nos Estados Unidos um telefone celular é vendido por apenas US$99,90, quando uma bateria de reserva para o mesmo telefone é vendida por um preço bem maior? *(Tianxin Gu)*

Em algumas regiões, quem assinar um contrato pós-pago com uma operadora pagará apenas US$99,90 por um aparelho celular. No entanto, para comprar uma bateria adicional para esse telefone (talvez porque o comprador espere passar longos períodos distante do carregador), será preciso pagar mais caro. Por que pagar tanto por uma bateria reserva que é exatamente igual àquela que vem no telefone celular, mais barato?

O custo de produção das baterias recarregáveis de íons de lítio, do tipo usado em telefones celulares, é elevado. Desse modo, talvez a questão mais interessante seja por que a combinação original de telefone celular/bateria foi tão barata. A resposta parece estar na estrutura de custos característica dos provedores de comunicação sem fio. A maioria dos custos dessas companhias é fixa, associada à criação de uma rede — construir torres de telefonia celular, adquirir licenças etc. Esses custos, bem como as despesas com publicidade, não variam em função da quantidade de serviço fornecida pela empresa. Quanto mais clientes um provedor de telefonia celular puder atrair para ajudar a cobrir aqueles custos, mais provável será que ele se mantenha em atividade.

Suponha que o valor mensal de um contrato de prestação de serviços seja US$50. Qualquer companhia que consiga captar mais um cliente desfrutará de uma renda adicional de US$600 por ano, sem qualquer custo adicional significativo. Portanto, os prestadores de serviços de telefonia móvel têm um incentivo poderoso para atrair mais clientes.

Os telefones celulares e os serviços de telefonia móvel são fortemente complementares. A experiência demonstrou que oferecer telefones celulares a preços muito baixos é uma tática eficaz para captar novos clientes. Como os prestadores de serviço de telefonia móvel compram celulares em grande quantidade, são capazes de negociar descontos consideráveis com a Nokia, a Motorola e outros fabricantes desses telefones. Muitas empresas oferecem aos novos clientes telefones celulares por menos do que o preço que elas pagaram pelos aparelhos, e algumas até fornecem aos novos clientes telefones "gratuitos". Se dar um telefone celular de presente a um novo cliente resulta em ganhar US$600 por ano pela prestação do serviço, trata-se de um bom negócio para as operadoras, mesmo que elas tenham pago ao fabricante US$100 pelo aparelho.

Por outro lado, oferecer desconto na compra de uma bateria reserva não se mostrou uma tática de sucesso para atrair novos clientes. (O que não surpreende, já que, em geral, o mercado de compra de baterias de reserva é restrito.) Portanto, as fornecedoras de telefonia celular consideram vantajoso oferecer telefones a um preço inferior ao das baterias que fazem os aparelhos funcionarem.

Por que na Índia, nos edifícios altos, os apartamentos mais caros são os dos últimos andares, enquanto nos edifícios com poucos andares os apartamentos mais caros são os mais baixos? *(Pankaj Badlani)*

Em Bombaim, o aluguel mensal de um apartamento em determinado andar é de 1 a 3% mais caro que o aluguel de um apartamento similar no andar de baixo. Dessa forma, o aluguel de um apartamento no vigésimo andar de um edifício pode render de 15 a 45% a mais do que renderia se a unidade fosse no quinto andar. No entanto, nos edifícios com quatro andares ou menos, o padrão é inverso. As unidades do primeiro e segundo andares alcançam aluguéis significativamente mais elevados que os dos apartamentos similares no terceiro ou no quarto andar. Qual a razão para essa inversão?

Em todos os casos, um apartamento mais alto oferece uma vista melhor e menos ruído da rua. Essas vantagens são muito mais perceptíveis nos apartamentos mais altos de um arranha-céu do que nos apartamentos mais altos de um edifício baixo. Mesmo assim, ainda seria possível julgar que estar mais alto deveria justificar pelo menos uma vantagem no aluguel, sem se considerar a altura do edifício.

Contudo, na Índia, há um porém. Os prédios com quatro andares ou menos estão isentos da exigência legal de que edifícios de apartamentos tenham elevadores. Nos edifícios baixos, os moradores dos apartamentos nos andares mais elevados precisam carregar suas compras por vários lances de escadas. Como os apartamentos mais altos não têm vistas extraordinárias ou um isolamento acústico significativo para o ruído da rua, se todos os aluguéis fossem iguais, a maioria dos locadores nesses edifícios escolheria os apartamentos dos andares mais baixos. A maior demanda por esses apartamentos explica por que seus aluguéis são mais altos.

Por que tantas pessoas compram casas maiores quando se aposentam e os filhos vão embora? *(Tobin Schilke)*

Muitos aposentados continuam a viver na casa em que criaram a família, mudando-se para um imóvel residencial com serviços apenas quando já não podem mais prescindir de ajuda. Nas décadas passadas, quando mudavam de residência após se aposentarem, os indivíduos tipicamente compravam casas menores em locais de clima temperado. Muitos ainda fazem isso, é claro. No entanto, a tendência atual é os aposentados trocarem suas casas por outras muito maiores nas imediações da casa antiga. Por que eles estão agindo assim?

Uma possibilidade é que os aposentados de hoje são mais afluentes, podendo se permitir mudar para casas maiores. Mas por que eles desejariam ter casas grandes depois que os filhos foram embora, e por que as constroem nas imediações da casa antiga? Afinal, eles poderiam construir ou comprar uma casa maior num local com clima mais ameno. Por que construir uma casa de 500m² na Pensilvânia?

Casas grandes para aposentados: ímãs para os netos?

Uma conjectura plausível é que uma casa grande próxima da residência dos filhos adultos poderia atrair visitas mais frequentes dos netos. Com o divórcio e os novos casamentos sendo uma ocorrência comum nas últimas décadas, muitas crianças de hoje têm seis ou mais avôs e avós, se forem incluídos aí os pais dos padrastos. A demanda por visita dos netos aumentou, mas a oferta de visitas continua igual. Portanto, os avós talvez esperem aumentar sua quota de visitas se construírem uma casa espaçosa, num local conveniente.

Por que as tarifas dos hotéis de Sharm El Sheikh são mais baixas nos períodos de maior ocupação? *(Rhonda Hadi)*

O mais comum é as tarifas de hotéis variarem na razão direta da ocupação, que, por sua vez, varia na razão direta da demanda. As taxas de ocupação dos hotéis de Sharm El Sheikh, uma cidade turística do Egito, são muito mais altas no verão do que no inverno. Por que, então, o preço dos quartos é significativamente menor no verão?

As tarifas de hotéis não dependem somente da taxa de ocupação, mas também do desejo e da capacidade que os potenciais ocupantes têm de pagar por elas. Embora o número de pessoas que visitam Sharm El Sheikh nos meses de inverno seja menor, esses visitantes costumam ser europeus e outros ocidentais de renda alta. Eles escolhem Sharm El Sheikh porque o clima do local representa uma trégua em comparação com os climas frios setentrionais.

Por outro lado, os turistas do Egito e de outros países do Oriente Médio não têm um inverno rigoroso e preferem visitar a região nos meses do verão, período em que se concentram as férias escolares e de trabalho. Como esses visitantes geralmente têm renda mais baixa do que a dos turistas do inverno, os hotéis não podem cobrar as altas tarifas que conseguem obter naquela estação do ano.

Os EXEMPLOS PRECEDENTES foram explicados principalmente por diferenças no lado do mercado correspondente à demanda. Em cada caso, a ênfase se concentrava na razão pela qual os compradores estavam dispostos a pagar mais por um produto que por outro. Os exemplos a seguir descrevem fenômenos cuja explicação se pauta principalmente no lado da oferta. Em cada caso, o preço ou a oferta inesperados para um produto estão associados de alguma forma às diferenças de custo.

Por que as fotografias coloridas são mais baratas do que as fotografias em preto e branco? *(Othon Roitman)*

Quando a geração nascida após a Segunda Guerra Mundial estava crescendo, uma fotografia colorida chegava a custar mais do que o dobro do que custava uma foto preto e branco. Hoje, porém, as fotos preto e branco são mais caras. Por exemplo, uma loja de fotografias em Ithaca, Nova York, cobra US$14,99 para revelar e copiar um rolo com 36 fotos de filme preto e branco, mas cobra somente US$6,99 por um filme colorido do mesmo tamanho. Qual a causa dessa inversão?

Na década de 1950, o mercado consumidor de fotografias coloridas estava na primeira infância. Os processos da época para produzir cópias de filmes coloridos eram muito mais complexos e dispendiosos que os processos correspondentes para filmes em preto e branco. Por conta dessa diferença inicial no custo muitas pessoas faziam fotos em preto e branco, o que dava às lojas mais um incentivo para se especializar nessa mídia. Com o crescimento do volume, o aumento da eficiência trazido pela especialização reduziu ainda mais o custo de processar fotografias em preto e branco.

Enquanto as fotos em preto e branco foram o meio dominante, o processamento de fotos coloridas continuou a ser uma tarefa intrinsecamente mais complexa. No entanto, quando o aumento de renda levou mais consumidores a optarem pela cor, a indústria desenvolveu novas máquinas óticas que revelavam e copiavam automaticamente filmes coloridos. Essas máquinas, que podem custar até US$150 mil, só eram econômicas se todo dia a loja revelasse e copiasse um grande volume de fotos. A grande vantagem desses equipamentos era produzir muitas fotos com o custo reduzido de mão de obra. E como os custos de mão de obra costumavam ser o componente mais importante do custo de processamento de fotografias, as lojas com as novas máquinas podiam produzir e vender fotos coloridas a um preço bem menor do que as fotos em preto e branco.

Por que as mesmas máquinas não podiam produzir fotos em preto e branco? Na verdade, elas podiam, mas esse processo exigia um papel caro, e a qualidade da fotografia resultante era mais baixa do que a das fotos processadas manualmente. Portanto, ao longo dos anos, as fotografias em preto e branco se tornaram cada vez mais um nicho para profissionais e amadores dedicados.

Com mais frequência, a norma é usar máquinas processadoras digitais, em vez de óticas. Como essas máquinas podem imprimir fotos em preto e branco no mesmo papel usado para fotos coloridas, o custo de produção dos dois tipos logo será essencialmente o mesmo. Quando isso acontecer, o ágio sobre as fotos em preto e branco deve desaparecer.

Por que um carro novo que custa US$20 mil é alugado nos Estados Unidos por US$40 ao dia, enquanto um smoking que custa apenas US$500 é alugado por mais ou menos US$90? *(John Gotte)*

As redes norte-americanas de locação de automóveis atuam em nível nacional e compram carros novos em grande quantidade, sendo, portanto, capazes de conseguir grandes descontos das montadoras. Em geral, as locadoras mantêm o carro durante dois anos e depois o revendem por mais ou menos 75% do que pagaram por ele. Portanto, o custo de oportunidade de ter cada carro é muito mais baixo do que o custo de oportunidade para um consumidor privado.

Por outro lado, a maioria das lojas de aluguel de smokings é de âmbito local. Uma loja média costuma ter um estoque em torno de mil ternos para alugar, e suas compras anuais para reposição não são tão grandes que lhe permitam conseguir grandes descontos no preço de compra. Como o mercado para venda de ternos usados é insignificante, essas lojas, com frequência, doam esses trajes ou os vendem por centavos de dólar para escolas de teatro e orquestras. Portanto, enquanto as tarifas cobradas pelas empresas de locação de automóveis devem cobrir, num período de dois anos, em torno de um quarto do valor de compra de cada carro, as lojas de aluguel de smokings devem cobrar taxas suficientes para cobrir o preço total de compra de cada terno.

Mais importante do que isso é que o estoque das locadoras de automóveis tende a ser mais plenamente utilizado que o estoque das lojas de aluguel de roupas. Os smokings quase sempre são alugados para eventos realizados aos sábados. Uma loja com um estoque de mil trajes pode alugar cem deles todos os sábados, mas nos outros dias da semana ficará feliz se alugar até mesmo cinco ternos. Por outro lado, uma proporção substancial da frota de uma locadora de automóveis é alugada todos os dias.

Outro fator a ser levado em conta é que as locadoras de automóveis frequentemente faturam muito mais do que a tarifa anunciada, pois cobram valores adicionais por outros serviços. O adicional de seguro, por exemplo, é bem maior que o custo de fornecer o seguro, e os clientes que se esquecem de encher o tanque de combustível pagam muito mais por litro de gasolina que o preço cobrado nos postos.

Finalmente, uma loja de aluguel de roupas muitas vezes precisa fazer alterações em um terno para atender a um cliente e pode arcar com custos de alfaiataria que são quase tão altos quanto o próprio aluguel. Cada terno tem de ser lavado a seco antes de ser novamente alugado, o que pode acrescentar até US$10 de despesa adicional a cada aluguel. Em comparação, uma locadora de automóveis só precisa lavar um carro devolvido antes de tornar a alugá-lo.

Portanto, embora o preço de compra do automóvel seja até quarenta vezes maior que o preço de um smoking, não é tão estranho que o aluguel mensal de um automóvel seja menor que a metade do aluguel de um traje a rigor.

Por que tantas lavanderias cobram mais para lavar uma blusa feminina do que uma camisa masculina? (*Don Aday*)

A lavanderia Judd Falls Laundromat, em Ithaca, Nova York, cobra US$5 para lavar e passar uma camisa feminina de algodão, mas cobra somente

US$2 por uma camisa masculina. Será um caso de discriminação contra as mulheres?

Existem indícios de que as mulheres tendem a pagar mais que os homens por produtos caros como automóveis, cujo preço de venda pode ser negociado. Mas os serviços de lavanderia não caem nessa categoria. As lavanderias costumam anunciar preços diferentes para as roupas de homens e mulheres, e os clientes raramente tentam negociar descontos sobre esses preços.

Em geral, quanto mais competitivo for um setor, menos provável haver discriminação contra os clientes. Mesmo uma cidade pequena como Ithaca tem mais de uma dúzia de lavanderias relacionadas nas Páginas Amarelas, o que deveria ser mais do que suficiente para garantir uma concorrência acirrada. Se as lavanderias existentes estivessem cobrando preços significativamente superiores ao custo de processar as roupas femininas, haveria "dinheiro solto na mesa". Uma empresa rival poderia simplesmente publicar um anúncio em que declarasse: "Não cobramos adicional sobre as roupas femininas"; ela rapidamente captaria a maior parte do mercado feminino.

A persistência dos diferenciais nos preços mostra que eles têm por base as diferenças nos custos de processar os dois tipos de camisa. Tal como ocorre na maioria dos setores, a parte do leão dos custos das lavanderias corresponde à mão de obra. É difícil imaginar que lavar uma blusa de mulher seja mais caro que lavar uma camisa de homem. Afinal, ambos os tipos de roupa são colocados numa máquina e lavados sem maior trabalho manual. Portanto, se há diferença no custo, ela deve ocorrer na fase de passar as roupas. Sempre que possível, os funcionários de lavanderia passam as roupas a ferro usando uma prensa, o que acelera muito o processo. As camisas não podem ser passadas numa prensa se forem muito pequenas ou tiverem botões ou detalhes delicados. A prensa padrão também prende a camisa pela barra, o que deixa uma marca visível. Camisas que não podem ser passadas numa prensa devem ser tratadas manualmente, o que leva muito mais tempo.

Em geral, a máquina de passar acomoda melhor as camisas masculinas que as femininas, que costumam ser mais delicadas e mais propensas a sofrer danos pelas máquinas. Como as mulheres não costumam usar as pontas das blusas para dentro das calças e saias, a marca deixada pela máquina de passar na barra frontal da peça em geral é considerada inaceitável. Os homens (pelo menos até recentemente) tendem a usar a camisa para dentro das calças, portanto, essa marca não constitui problema para eles.

Resumindo: a explicação mais plausível para a prática das lavanderias de cobrar mais pelas blusas femininas é que elas, em média, custam mais para passar.

Por que os filmes no idioma hindi vêm atraindo plateias muito maiores nos últimos anos? *(Chris Anderson)*

Até recentemente, um nativo de Nova Delhi que vivesse nos Estados Unidos teria de voltar à Índia para ver filmes em sua língua nativa. Mas agora é possível até para alguém que viva em Podunk, no estado de Nova York, escolher entre centenas de títulos de filmes em hindi. O que causou essa mudança?

Como descreve Chris Anderson em seu livro *A cauda longa*, tradicionalmente só os moradores das grandes cidades têm acesso a filmes em línguas estrangeiras. Os donos de cinema não terão lucro se programarem filmes que não atraiam um grande público pagante em todas as sessões. É absurdo exigir isso de um filme em hindi, mesmo nas cidades com uma grande população de imigrantes indianos.

Porém, com o advento dos serviços de distribuição de DVDs pela internet, como o Netflix, o mercado de filmes relativamente obscuros foi radicalmente transformado. Para fazer dinheiro com esses filmes, não há mais necessidade de atrair um número significativo de espectadores ao mesmo local, ao mesmo tempo. Se você quiser ver *Gol Mol*, uma comédia indiana de 1979 estrelada por Palekar ("um candidato a emprego com obsessão por esportes cujo novo patrão [Dutt] mantém uma disciplina rígida que proíbe tratar no escritório de assuntos não relacionados ao trabalho"), basta incluir esse título em sua fila do Netflix. Não há nos Estados Unidos qualquer cidade com uma população indiana tão grande que justifique a exibição de *Gol Mol* numa sala de cinema. No entanto, há uma plateia expressiva para filmes como esse, suficiente para compensar o Netflix pelo pequeno custo de incluí-los em seu estoque.

Centenas de milhares de filmes e livros não são suficientemente populares para justificar sua exibição num cinema ou a alocação de espaço para eles numa livraria comercial. O advento da distribuição on-line salva esses trabalhos da extinção.

Por que surgiram inúmeras áreas de treinamento de golfe nos subúrbios da cidade de Washington no início da década de 1990? *(Charles Kehler)*

Com as associações comerciais e os lobistas fazendo leilão pelos imóveis nas proximidades da capital dos Estados Unidos, o preço da terra em Washington é muito elevado. Para cobrir o custo de adquirir nesse mercado uma área para um edifício, as imobiliárias tinham de cobrar aluguéis muito altos. Isso geralmente implicava construir edifícios comerciais ou residenciais com muitos andares. No entanto, no início dos anos 1990, as imobiliárias começaram a construir uma grande quantidade de áreas de treinamento de golfe. Essas áreas costumam atrair algumas dezenas de clientes todas as noites. Cada um deles paga alguns dólares pelo privilégio de lançar bolas de golfe em direção ao céu noturno, mas o valor total obtido a cada mês com essa atividade é insuficiente para cobrir até mesmo os juros do empréstimo necessário para comprar o terreno. Por que os construtores usam a terra dessa maneira?

Os construtores da área de Washington edificaram novos prédios comerciais e residenciais num ritmo muito rápido no final da década de 1980. Os aluguéis de casas e escritórios haviam aumentado rapidamente, e os construtores adquiriram ativamente áreas não construídas, na expectativa de aumentos maiores. O resultado foi que, em 1991, quando teve início uma recessão econômica nacional, o mercado imobiliário de Washington estava substancialmente edificado. O número de imóveis va-

O melhor uso para um recurso nem sempre é lucrativo.

zios disparou e os aluguéis diminuíram drasticamente. Qualquer imobiliária que construísse um novo edifício de escritórios ou empreendimento residencial naquele período podia ter a certeza de vê-lo vazio por algum tempo.

Em vez de construir em seus terrenos, essas empresas começaram a vendê-los a preço reduzido ou a conservá-los, à espera de uma recuperação do mercado. Os que seguiram essa segunda estratégia tinham um incentivo claro para dar à terra um uso rentável nesse intervalo. Para isso, uma área de treinamento de golfe é quase ideal. Tudo o que se precisa é de um estoque de bolas de golfe usadas, um trailer para fornecê-las e um carrinho para recolhê-las. Esses investimentos eram mínimos e fáceis de liquidar quando o mercado imobiliário mostrasse recuperação.

Como a renda pífia de uma área de treinamento de golfe poderia justificar o custo de oportunidade de manter um terreno adquirido por um valor tão alto? É claro que as empresas de construção civil nunca teriam comprado os terrenos quando compraram se tivessem previsto a retração econômica iminente. No entanto, uma vez de posse da terra e visando esperar pelo fim da retração, o desafio era fazer o melhor uso possível dos terrenos nesse ínterim. Nessas circunstâncias, para fazer sentido do ponto de vista econômico, uma área de treinamento de golfe não precisa gerar retorno suficiente para cobrir o custo de oportunidade da terra em que está construída. Pelo simples fato de gerar uma receita maior do que o custo marginal de mantê-la em operação, a área de treinamento de golfe já representava para as imobiliárias uma condição melhor do que simplesmente deixar a terra sem uso.

Os últimos exemplos deste capítulo discutem fenômenos cuja explicação requer atenção aos dois lados do mercado — o da oferta e o da procura.

Por que os ovos vermelhos são mais caros que os ovos brancos? *(Jonathan Chang)*

No maior supermercado de Ithaca, a dúzia dos ovos da categoria Jumbo AA é vendida a US$3,09 se os ovos tiverem a casca branca, mas é vendida a US$3,79 se tiverem a casca avermelhada. De acordo com o Egg Nutrition Center, de Washington, D.C., nem o sabor nem a qualidade nutritiva do ovo dependem da cor da casca. O que explica essa diferença de preço?

É tentador dizer que os ovos vermelhos são mais caros porque os consumidores os consideram mais atraentes e estão dispostos a pagar mais por eles. No entanto, essa explicação não é satisfatória, porque parece sugerir que os comerciantes que vendem ovos brancos estão deixando de ganhar dinheiro. Se eles podem ter lucros maiores vendendo ovos vermelhos, por que continuam a vender ovos brancos?

Uma resposta plausível é que produzir ovos vermelhos é mais caro do que produzir ovos brancos. A cor do ovo depende da raça de galinha que o põe. Por exemplo, as galinhas Leghorn brancas põem ovos brancos, enquanto as galinhas Rhode Island Red põem ovos vermelhos. As galinhas marrons tendem a ser maiores que as brancas; como a necessidade diária de calorias de uma galinha depende do tamanho da ave, produzir ovos vermelhos custa mais. No entanto, para explicar por que eles são vendidos, embora mais caros, uma condição importante deve estar presente do lado da demanda. Se alguns consumidores não preferissem a aparência dos ovos vermelhos, estando dispostos a pagar mais, eles não seriam colocados à venda.

Por que as lojas Hallmark nos Estados Unidos fornecem gratuitamente cartões "de nada"? *(Erik Jepson)*

Recentemente, a empresa de cartões comemorativos Hallmark lançou uma promoção em que oferecia de graça cartões "de nada". Esses cartões, que continham apenas mensagem simples como "Desculpe-me", "Saudades" ou "Boa sorte", estavam dispostos em estantes independentes, bem à vista, com um grande cartaz em que se lia: "Cartões de graça! Limite: dois por cliente." Os desenhos que eles exibiam eram artísticos, impressos em papel de alta qualidade. Não se tratava de ponta de estoque. Eles também não estavam manchados, amassados nem danificados de alguma forma. Também não se exigia que o consumidor comprasse outro produto Hallmark para ganhá-los. Por que a empresa estava dando esses cartões de presente?

Os cartões comemorativos são artigos com uma margem de lucro extremamente elevada. Embora seu custo marginal de produção seja de centavos por unidade, eles costumam ser vendidos a diversos dólares. A alta margem de lucro é necessária para ajudar a cobrir os custos indiretos de manutenção das lojas em que os cartões são vendidos. A não ser pelos cartões de aniversário, cujas vendas se distribuem uniformemente ao longo do ano, muitos dos tipos de cartão mais vendidos são altamente sazonais, como os de Natal e os de formatura. Portanto, às vezes, as lojas Hallmark estão lotadas, mas com frequência estão quase vazias. Desse modo, a empresa poderia aumentar substancialmente seus lucros se encontrasse outras formas de vender cartões fora dos períodos de pico.

Quando a estante dos cartões gratuitos apareceu, não havia um mercado consolidado para os cartões que não comemoravam uma ocasião específica. A maioria dos clientes da Hallmark procurava cartões de aniversário ou para outras ocasiões definidas. Se a empresa meramente colocasse à venda cartões que não comemoravam nada, dificilmente alguém os teria percebido. Porém, ao colocar cartões gratuitos numa estante em destaque, a empresa induziu muitos compradores a levá-los. A Hallmark sabia que, se até mesmo uma fração muito pequena desses clientes desse emprego satisfatório a esses cartões, ela conseguiria uma grande vantagem em longo prazo. E, de fato, hoje a Hallmark vende cartões "de nada" essencialmente nos mesmos termos em que vende os cartões sazonais. Para uma área de negócios sazonal que vende artigos com alta margem de lucro, essa promoção foi uma aposta vitoriosa.

Por que as lojas de fotografias norte-americanas dão de presente um segundo conjunto de cópias das fotos reveladas? *(Laura Sandoval)*

Nos Estados Unidos, quando se entrega um rolo de filme para revelar, muitas lojas dão um segundo conjunto de cópias sem cobrar mais por isso. No entanto, em qualquer rolo de filme, a maioria das fotos não merece ser duplicada. Portanto, por que as lojas oferecem duplicatas gratuitas das fotos ruins, em vez de cobrar a metade do preço pelo primeiro conjunto de cópias?

Conforme mencionamos antes, hoje quase sempre os filmes são processados automaticamente. O empregado se limita a carregar na máquina o rolo de negativos, e ela faz o resto. Para gerar um segundo conjunto de cópias, basta apertar um botão. Não é necessário qualquer tempo adicional de mão de obra. O papel e os compostos químicos necessários para duplicar as cópias aumentam o custo, mas apenas ligeiramente. Portanto, fazer dois conjuntos de cópias custa apenas um pouco mais.

Do ponto de vista do comprador, mesmo que a maioria das fotos de um rolo seja insatisfatória, haverá inevitavelmente algumas boas o suficiente para serem enviadas aos parentes e amigos. Os clientes que recebem um conjunto único de fotos precisam identificar os negativos daquelas que querem duplicar e levá-los de volta à loja. Duplicatas processadas dessa maneira exigem do operador do equipamento mais cuidado e atenção, portanto as lojas cobram caro para cobrir esse custo.

As lojas que fornecem gratuitamente um segundo conjunto de fotos estão, portanto, prestando um serviço valioso aos clientes com apenas um aumento inexpressivo do custo. Qualquer loja que deixasse de fazer essa oferta certamente perderia muitos de seus clientes para os concorrentes.

Por que os livros e CDs de maior sucesso são vendidos nos Estados Unidos por um valor menor que os menos populares, quando observamos o padrão inverso no preço dos ingressos de cinema? *(Ed Varga)*

O preço de tabela do CD *Modern Times*, de Bob Dylan, é US$18,99 nos Estados Unidos, mas, quando foi lançado em agosto de 2006, o disco era vendido pela Amazon.com por apenas US$8,72, com um desconto de quase 55%. Por outro lado, as gravações de artistas menos populares são comercializadas com descontos muito menores. Por exemplo, o álbum *Motifs*, do grupo Paris Combo, tem um preço de tabela de US$17,98, mas é vendido pela Amazon por US$14,99, um desconto inferior a 17%. O mesmo padrão é observado na venda de livros. A rede de livrarias Borders, por exemplo, oferece desconto de 25% nos best sellers, mas cobra o preço de venda sugerido pela editora na maioria dos outros títulos.

O padrão é invertido no caso dos ingressos de cinema. Embora o preço nominal do ingresso seja o mesmo para todos os filmes projetados em determinado período, em determinado cinema, é muito improvável que o cinema ofereça descontos nos filmes de sucesso. Por que os operadores de cinemas exploram a disposição dos compradores para pagar mais pelos produtos mais populares, mas as livrarias e lojas de CDs não fazem isso?

Cada livro, filme ou CD é uma obra sem similar. Como a concorrência não é capaz de oferecer substitutos perfeitos para esses produtos, os mercados para eles não são perfeitamente competitivos. Mesmo assim, nesses mercados, os preços costumam ser mais elevados no caso dos produtos e serviços a que os compradores dão mais valor. Esse, como mencionamos, é o padrão observado no caso dos filmes.

Para dar uma explicação plausível para o fato de livros e CDs fugirem a essa regra, devemos começar por observar que as condições do custo para quem vende esses produtos diferem radicalmente daquelas dos proprietários de cinemas. Nos cinemas, os recursos escassos, aqueles que determinam o preço, não são os filmes, mas os assentos. Uma vez que o cinema esteja lotado, é impossível continuar a oferecer o serviço a outros clientes, por qualquer preço. Portanto, os proprietários de cinemas têm um incentivo significativo para não oferecerem descontos nos filmes que possam preencher os assentos pelo preço normal do ingresso. Por outro lado, é improvável que os comerciantes de livros e músicas tenham de recusar clientes se oferecerem descontos nos artigos mais procurados. A maior parte do tempo, eles podem prever quais artigos serão mais populares e podem atender à demanda aumentando o estoque. E como esses artigos vendem muito, o custo unitário do espaço de prateleira para mantê-los no estoque é muito baixo. Os livros e CDs menos procurados, que podem vender apenas uma ou duas cópias em alguns meses, geram menos retorno pelo mesmo espaço de armazenamento, sendo, portanto, mais caro mantê-los no estoque.

Praticamente todos os comerciantes estocam os livros e os CDs mais procurados (porque sabem que o mercado para eles é aquecido), mas há menos duplicação dos itens mais obscuros mantidos nas listas de artigos das diferentes lojas. E isso significa que os pontos de venda enfrentarão mais pressão da concorrência mútua no caso dos artigos mais populares. Quem não gostar do preço de uma loja para o novo CD de Bob Dylan pode comprá-lo em muitas outras lojas. Porém, é provável que poucas lojas tenham em estoque o último CD do grupo Paris Combo. Quem quiser esse disco imediatamente não terá muita opção senão pagar o preço cobrado pelo vendedor.

As livrarias e lojas de música de maior sucesso costumam alertar os clientes sobre lançamentos promissores, mas obscuros, que poderiam escapar-lhes à atenção. Portanto, são os títulos menos populares os maiores responsáveis pelo custo de contratar vendedores experientes, necessários para fazer essas conexões. Os artigos populares recebem descontos maiores principalmente porque custa menos vendê-los. Portanto, da próxima vez que você se sentar para ouvir aquele excelente CD novo do Paris Combo, lembre-se de que ele foi mais caro do que um CD popular que pode ser comprado em qualquer loja de departamentos porque a loja de música arcou com a despesa adicional de contratar um vendedor suficientemente preparado para saber que você provavelmente iria gostar daquele álbum.

No entanto, outra razão para as lojas darem descontos nos livros e CDs mais procurados é que essa prática atrai para dentro das lojas mais clientes, que provavelmente comprarão outros artigos.

Por que as melhores universidades particulares norte-americanas não cobram anuidades mais elevadas que as de muitas universidades menos qualificadas? *(Lonnie Fox)*

Entre as universidades privadas que fazem parte da lista das cem melhores instituições de ensino superior, segundo o *U.S. News and World Report*, as anuidades variam numa faixa muito estreita. No entanto, há muito mais demanda por vagas nas turmas de ingresso das escolas situadas no topo desse grupo do que por vagas nas universidades com pontuação mais baixa. Em um ano recente, por exemplo, nos Estados Unidos, uma universidade do topo da lista admitiu menos de 10% dos candidatos a uma vaga, enquanto muitas das escolas menos qualificadas admitiram 50% ou mais de seus candidatos. As universidades com melhor classificação na lista têm mais despesas por aluno. Se os custos e a demanda são maiores nas universidades mais qualificadas, por que elas não cobram mais?

Embora em determinado momento as dez melhores universidades sejam apenas dez, sempre existem cinquenta ou mais universidades cujos administradores acreditam piamente que suas instituições teriam ficado entre as dez primeiras se não fosse por alguma falha no processo de classificação. Com as bênçãos do corpo docente, dos alunos e dos ex-alunos, os administradores pouco se esforçam para melhorar o padrão da instituição aos olhos dos avaliadores externos. No entanto, todos esses grupos obtêm grandes recompensas quando a universidade adquire o status de escola de elite.

Para ser candidata adequada a esse status, a universidade deve atrair um corpo de estudantes da mais alta qualidade. Muitas das fórmulas de classificação atribuem explicitamente um peso à média das notas dos novos alunos no exame nacional do ensino médio. O resultado é que as melhores universidades são obrigadas a competir furiosamente pelos estudantes mais talentosos. Os seletos e escassos estudantes admitidos por elas também são muito demandados por outras escolas de elite.

Harvard não teria problemas para preencher sua turma de calouros com estudantes razoavelmente qualificados, mesmo que cobrasse US$100 mil de anuidade. Porém, se ela cobrasse tudo isso, atrairia somente uma fração dos melhores alunos que atrai hoje. Muitos pais se perguntariam por que pagar US$100 mil para mandar um filho estudar em Harvard se poderiam mandá-lo para Princeton por US$40 mil.

A anuidade é apenas uma fração — em muitos casos, menos que um terço — do custo total da formação de um estudante. A maior parte dos recursos restantes vem de dotações e de doações anuais de ex-alunos e outros. As instituições de topo são capazes de cobrir seus custos elevados porque tendem a receber mais presentes e dotações que as instituições menos qualificadas.

O resultado é um equilíbrio, em que os estudantes não pagam mais para frequentar as melhores escolas do que pagariam para estudar na centésima da lista. As escolas do topo não podem cobrar mais porque precisam tanto dos melhores alunos quanto estes precisam delas.

3

Por que trabalhadores igualmente talentosos ganham salários diferentes e outros mistérios do mundo do trabalho

O mercado de trabalho é o mais importante dos mercados de que iremos participar. Embora não seja possível vender pessoas, vender os serviços humanos é algo perfeitamente legal. O mercado para tais serviços está sujeito às mesmas leis da oferta e da procura que se aplicam à compra e venda de produtos. Quando a oferta de carpinteiros aumenta, os salários desses profissionais tendem a diminuir. Se a demanda por programadores de computador aumenta, é de se esperar que as remunerações da categoria aumentem.

O primeiro exemplo que veremos neste capítulo ilustra o princípio fundamental dos mercados de trabalho competitivos: os trabalhadores tendem a ser pagos mais ou menos na mesma proporção do valor que agregam ao resultado financeiro do empregador.

Por que as modelos ganham muito mais do que os modelos? *(Fran Adams)*

A modelo Heidi Klum ganhou US$7,5 milhões em 2005 e várias outras "top-models" ganharam ainda mais, lideradas por Gisele Bündchen, que ultrapassou US$15 milhões. Cinco supermodelos do sexo feminino entraram na lista das cem celebridades de mais altos salários naquele ano, elaborada pela revista *Forbes*. Nenhum modelo do sexo masculino entrou nessa lista. Por que as supermodelos ganham tanto dinheiro?

Para responder a esta questão precisamos, em primeiro lugar, perguntar o que as modelos realizam para os estilistas que as contratam. Em termos simples, o trabalho delas é fazer com que as roupas dos confeccionistas pareçam o mais atraente possível aos potenciais compradores. Como a maior parte das roupas fica mais atraente se for vestida por pessoas bonitas, a indústria da moda procura para seu material publicitário modelos masculinos e femininos com a melhor aparência possível. Portanto, tanto no caso dos modelos quanto no das modelos, quem for mais bonito geralmente ganha mais. E, como a sociedade tem o próprio padrão de beleza para cada gênero, não faz sentido dizer que modelos do sexo feminino ganham mais porque são mais bonitas que seus pares do sexo masculino.

As modelos ganham mais porque o setor de moda feminina é um negócio muito maior que o da moda masculina. Por exemplo, nos Estados Unidos, as mulheres gastam anualmente com vestuário mais do que o dobro do que os homens, e essa diferença é ainda maior em outros países. Com somas tão elevadas em jogo, é economicamente interessante para os fabricantes de roupas femininas competir agressivamente pela modelo que melhor simbolize o visual do momento. Revistas de moda de grande tiragem como *Vogue* e *Elle* exercem enorme influência sobre as compras femininas de roupas e cosméticos. Cada número dessas revistas contém fotografias de centenas ou até de milhares de modelos do sexo feminino. Nesse ambiente apinhado, aquelas que forem capazes de atrair a atenção do leitor valem o próprio peso em ouro. Portanto, é fácil ver por que a indústria pode preferir pagar muito mais por uma modelo que se destaque, mesmo que ligeiramente, no meio da multidão.

O valor resultante da contratação de um modelo masculino mais atraente perde na comparação. Poucos homens são capazes até mesmo de lembrar o nome de uma revista masculina de moda e um número ainda menor lê essas revistas. O confeccionista que contratar um modelo um pouco mais atraente irá vender mais unidades, porém muito menos que aquele que contratar um modelo do sexo feminino ligeiramente mais atraente.

As mulheres também são contratadas como modelos de cosméticos e, ainda nesse caso, a vantagem de contratar uma profissional de mais destaque pode ser enorme. Como a maioria dos homens não usa produtos cosméticos, poucos modelos masculinos participam desse segmento do mercado de trabalho.

Por que os salários dos profissionais mais bem pagos estão crescendo muito mais rápido que os dos outros profissionais?

Durante as três décadas seguintes à Segunda Guerra Mundial, o aumento da renda dos profissionais no topo e no piso da escala salarial seguiu índices muito semelhantes — um pouco menos que 3% ao ano. A partir daí, porém, a maior parte do aumento de renda beneficiou aqueles que estão no topo. Dessa forma, embora em termos de poder de compra o salário mediano seja aproximadamente o mesmo de 1975, os assalariados que representam o 1% do topo da escala salarial ganham agora quase três vezes mais do que naquela época. Mais acima na escala, os ganhos foram ainda maiores. Por exemplo, os executivos das maiores corporações norte-americanas recebem hoje mais de quinhentas vezes o que ganha o trabalhador médio. Em 1980, eles ganhavam 42 vezes mais. O que causou essa mudança?

Embora muitos fatores estejam envolvidos no processo, um deles se destaca: a rápida aceleração das mudanças tecnológicas que aumentam a influência dos indivíduos mais aptos. As condições são diferentes em cada setor, mas a indústria de assessoria tributária nos dá um bom exemplo.

Na década de 1970, essa indústria era dominada quase totalmente por contadores atuando em âmbito local. Os profissionais mais hábeis ganhavam mais do que os colegas, mas as diferenças de renda geralmente eram modestas. Então, nos Estados Unidos, veio uma onda de franquias nacionais de assessoria tributária, como a H&R Block, cujos organizadores descobriram que a maior parte das declarações de Imposto de Renda poderia perfeitamente ser preenchida por não profissionais orientados por um número relativamente pequeno de especialistas. Impulsionadas por publicidade nacional eficiente, essas empresas elevaram a demanda dos contadores regionais, o que gerou imensas receitas para os franqueadores.

Mais recentemente, os indivíduos passaram a utilizar programas de computador que os orientam no preenchimento da declaração de Imposto de Renda. No princípio, inúmeros programas com essa finalidade competiam pela atenção dos compradores, porém, uma vez que os críticos identificaram o programa Turbo Tax, da Intuit, e alguns outros como os participantes mais abrangentes e amigáveis desse torneio, a competição dos concorrentes rapidamente evaporou-se. Uma vez tendo sido escrito o código dos melhores programas tributários, cópias adicionais do produto podem ser geradas a um custo marginal nulo, o que torna os programas inferiores economicamente irrelevantes. Portanto, se compararmos a indústria de assessoria tributária atual com sua contrapartida dos anos 1970, os perdedores foram os contadores regionais, enquanto os grandes ganhadores foram os organizadores das empresas que produzem os programas mais vendidos, como o Turbo Tax, da Intuit.

Os salários dos executivos escalaram por razões similares. As modernas tecnologias de informação, associadas à redução dos custos de transporte e das barreiras tarifárias, aumentaram o alcance dos mercados. No passado, uma fábrica de pneus podia sobreviver simplesmente sendo o melhor fabricante de pneus de Ohio, mas hoje ela tem de estar entre um punhado dos fabricantes mais eficientes do mundo. Com mercados tão maiores e mais competitivos do que no passado, as pequenas diferenças na qualidade das decisões dos executivos se transformam em grandes diferenças nos ganhos da corporação.

Mais influência e competição, é claro, não explicam todos os aumentos nos salários dos executivos. Como ficou claro no caso das empresas Enron e WorldCom, para aumentar a própria riqueza, alguns executivos apelaram à fraude contábil. Mas os estudos sugerem que os ganhos salariais no topo ocorreram, principalmente, porque as decisões dos executivos se tornaram muito mais importantes para o resultado financeiro das empresas.

Nos mercados de produtos, o preço de um bem depende de seus atributos. Uma televisão de alta definição, por exemplo, alcança um preço maior que o de uma televisão convencional. O mesmo se aplica ao mercado de trabalho, em que a remuneração associada a determinado emprego dependerá de suas características. O que os economistas chamam de teoria dos diferenciais compensatórios de salários foi originalmente proposto por Adam Smith em *A riqueza das nações*:

> O conjunto de vantagens e desvantagens dos diferentes empregos da mão de obra e do estoque de recursos deve, na mesma região, ser perfeitamente igual ou tender continuamente para a igualdade. Se na mesma região houvesse algum emprego evidentemente mais ou menos vantajoso que o resto, tantas pessoas iriam procurá-lo, no primeiro caso, e tantas fugir dele, no segundo caso, que suas vantagens logo retornariam ao nível dos outros empregos. (...) O interesse de todo homem iria levá-lo a procurar o emprego vantajoso e evitar o desvantajoso.

Dessa forma, a teoria de Smith explica por que, quando todos os outros fatores relevantes são iguais, os salários serão mais altos nos empregos que apresentarem maior risco, exigirem maior esforço ou se situarem em locais desagradáveis ou malcheirosos. O próximo exemplo ilustra outras consequências, talvez mais inesperadas, da teoria dos diferenciais compensatórios de salários.

Por que quem trabalha pavimentando entradas de garagem nos subúrbios de Dallas ganha a metade do que é pago nos subúrbios de Minneapolis? *(Danielle Routt)*

Pouco depois de se mudar para uma casa no subúrbio de Dallas, a proprietária pediu um orçamento para pavimentar o acesso à garagem, um serviço que fizera na casa que acabara de vender nos subúrbios de Minneapolis. Para surpresa dela, no orçamento que recebeu em Dallas, a parcela de material tinha praticamente o mesmo valor previamente pago, mas o custo de mão de obra representava apenas a metade. Por que a mão de obra era tão mais barata em Dallas?

De acordo com a lei do preço único, empregos com as mesmas exigências de capacitação e as mesmas condições de trabalho devem ter a mesma remuneração. Na prática, as habilidades necessárias para pavimentar uma entrada de garagem são as mesmas em Minneapolis e em Dallas, e o esforço necessário é o mesmo nos dois locais. No entanto, outras condições de trabalho não são igualmente atraentes nos dois locais. Em especial, o clima relativamente ameno de Dallas permite aos prestadores de serviço de pavimentação trabalhar durante todo o ano, enquanto o rigoroso inverno de Minneapolis os impede de trabalhar durante vários meses. (Diz-se que Minneapolis tem duas estações: o inverno e julho.) Se o inverno causasse apenas algumas semanas de ociosidade forçada, isso talvez não fosse visto como uma desvantagem. No entanto, não poder trabalhar durante meses sem-fim limitaria gravemente a capacidade de sobrevivência dos prestadores de serviço de Minneapolis se eles ganhassem o mesmo que os de Dallas.

De acordo com a teoria dos diferenciais compensatórios de salários, de Adam Smith, em todos os empregos que exigem uma mesma capacitação os salários se ajustam de modo que as condições gerais dos empregos tendam à igualdade. Se as condições forem mais atraentes em um emprego que no outro, os salários no primeiro caso tenderão a se ajustar na direção oposta. Uma das condições desejáveis que Smith mencionou especificamente foi a "estabilidade do emprego". Essa característica ajuda a explicar por que as remunerações dos prestadores de serviços em Minneapolis são significativamente maiores que em Dallas. Salários mais altos são necessários para compensar os profissionais de Minnesota pela incapacidade de exercer aquela atividade nos meses do inverno.

As diferenças salariais entre as duas cidades são ainda mais acentuadas pelo fato de que a curta estação de trabalho de Minneapolis serve para concentrar a demanda, já que todos os que desejam ter o acesso à garagem pavimentado em determinado ano precisam fazê-lo no mesmo intervalo de cinco ou seis meses.

Por que nos restaurantes sofisticados os garçons ganham mais que os assistentes do chefe de cozinha? *(Lesley Viles)*

Em um restaurante caro, um garçom pode ganhar várias centenas de dólares por noite, somente em gorjetas, enquanto a perspectiva de um assistente de cozinha no mesmo restaurante é ganhar apenas uma fração disso. Embora ambas as atividades sejam importantes para o sucesso do restaurante, a maioria das pessoas concorda que a experiência, o talento e o treinamento necessários para se tornar um bom assistente de cozinha são mais difíceis de encontrar que as qualidades necessárias para ser um bom garçom. Portanto, por que o garçom ganha muito mais?

A remuneração de qualquer trabalho depende de muitos fatores, não só da capacitação necessária. Muitos empregos de alto nível de especialização pagam relativamente pouco porque são vistos como degraus para se chegar a outros empregos mais interessantes. O emprego de assistente do chefe de cozinha recai nessa categoria, mas o de garçom, não. Pessoas muito habilitadas estão dispostas a trabalhar como assistentes por um salário relativamente baixo porque o emprego propicia treinamento e experiência essenciais para se tornar um chefe, uma condição respeitada e bem remunerada.

O trabalho de garçom, por outro lado, é uma posição terminal. Muitos garçons nunca conquistam empregos de altos salários, e aqueles que o fazem não costumam dever o sucesso subsequente à experiência prévia como garçom.

Por que os executivos das grandes empresas fabricantes de cigarro estão dispostos a testemunhar sob juramento que a nicotina não causa dependência?

Em 14 de abril de 1994, os executivos de sete grandes empresas norte-americanas da indústria de cigarros foram ouvidos sob juramento em uma audiência de um comitê do Congresso para regulação dos produtos de tabaco. Um por um, os executivos proclamaram sua convicção de que a nicotina não causa dependência. Diante das provas científicas amplamente divulgadas de que a nicotina é altamente causadora de dependência, esses executivos foram desprezados e ridicularizados por seu testemunho. Por que eles estavam dispostos a passar por essa humilhação?

Ter de tolerar uma humilhação pública certamente se qualificaria como uma condição indesejável de trabalho nos termos da teoria dos diferenciais compensatórios de salário, de Adam Smith. E, com certeza, os executivos da indústria do tabaco estão entre os profissionais mais bem remunerados do país. Por exemplo, a Altria, a empresa controladora da fabricante de cigarros Philip Morris, pagou a seus executivos US$18,13 milhões em 2005.

Por que os trabalhadores menos produtivos no grupo de trabalho de uma empresa costumam ganhar mais do que o valor do que produzem, enquanto os mais produtivos ganham menos?

A teoria dos mercados de trabalho competitivos estabelece que os trabalhadores serão pagos de acordo com o valor daquilo que produzem para o empregador. No entanto, na maioria das organizações, entre os empregados que executam tarefas similares, a produtividade parece variar muito mais do que os salários. Os trabalhadores no alto da hierarquia parecem ganhar menos, em proporção à contribuição que prestam, enquanto os do piso parecem ganhar mais. Aparentemente, os trabalhadores do piso são favorecidos. No entanto, se os trabalhadores do topo são de fato sub-remunerados, por que não são cooptados por algum empregador que lhes pague o que eles merecem?

À primeira vista, esse padrão parece sugerir que há "dinheiro solto na mesa". Se o trabalhador do alto da hierarquia de uma empresa vale R$100 mil e ganha apenas R$70 mil, uma empresa concorrente poderia embolsar R$20 mil em lucros extras se atraísse esse profissional com um salário de R$80 mil. Porém, isso ainda deixaria "dinheiro sobre a mesa" para outras empresas rivais. Desse modo, seu salário seria objeto de leilão até chegar aos R$100 mil, correspondentes ao valor da contribuição que ele presta.

Esse padrão observado de salários poderia ser explicado a partir do princípio de que a maioria dos trabalhadores prefere ocupar uma posição mais elevada dentro da equipe do que ocupar uma posição mais baixa. Contudo, em um mesmo grupo de trabalho, não é possível satisfazer a preferência de todos os trabalhadores por um cargo mais elevado. Afinal, 50% dos cargos na equipe devem estar na metade inferior da escala hierárquica. Desse modo, a única maneira de alguns trabalhadores poderem ter a satisfação inerente às posições mais elevadas será se outros trabalhadores estiverem dispostos a aceitar a insatisfação associada às posições inferiores. Como os trabalhadores não podem ser forçados a permanecer dentro de uma organização contra a vontade, aqueles nas posições inferiores só se interessarão em permanecer se receberem uma compensação adicional.

De onde vem essa compensação adicional? Aparentemente, ela é financiada por uma taxação implícita dos ganhos dos colegas hierarquicamente superiores. Se essa taxação não for muito alta, os superiores hierárquicos sentem-se felizes em permanecer na empresa, mesmo que fosse possível ganhar mais em outro lugar, e os trabalhadores em cargos inferiores consideram o pagamento adicional suficiente para compensar as exigências do trabalho menos qualificado. O resultante padrão de salários em cada empresa funciona na prática como um Imposto de Renda progressivo.

Em muitas ocupações, os indivíduos contam com diferentes opções de trabalho em empresas diferentes. Aqueles que não atribuem muito valor a ocupar uma posição superior na empresa farão melhor se aceitarem uma posição inferior em troca de um salário maior em uma empresa que tenha empregados altamente produtivos. Quem atribuir grande valor à posição mais elevada estará em vantagem se aceitar um cargo hierarquicamente superior por um salário mais baixo em empresas com produtividade média mais baixa.

EMBORA O MERCADO DE TRABALHO tenha muitas características similares às do mercado de bens, como caixas registradoras ou prensas tipográficas, também há diferenças importantes. Por exemplo, os patrões não precisam se preocupar com o risco de uma prensa tipográfica fazer pausas frequentes para tomar café ou assaltar o armário de material de escritório. Como ilustram os exemplos a seguir, essas diferenças explicam muitos padrões salariais e práticas empregatícias interessantes.

Por que damos gorjeta em alguns serviços, mas não em outros? *(Dolapo Enaharo)*

Nos Estados Unidos, quando se sai para jantar, é costume deixar uma gorjeta de 15 a 20% do total da conta para o garçom que serviu bem. Mas os prestadores de muitos outros serviços não esperam receber gorjetas. Na verdade, é ilegal dar gorjetas a alguns tipos de prestador de serviços. Qual a razão para essa distinção?

Há o pensamento de que dar gorjetas em restaurantes foi uma prática criada para promover um serviço melhor. Os donos de restaurante estão dispostos a pagar salários mais altos para os garçons que sirvam à mesa com atenção e cortesia, porque os clientes que tiverem uma experiência agradável provavelmente irão voltar. Os garçons, por sua vez, aceitariam fazer um esforço maior em troca de um salário mais substancial. O problema é que o proprietário do restaurante tem dificuldade em monitorar diretamente a qualidade do serviço. Essa questão é resolvida fazendo-se uma ligeira redução no preço da refeição e anunciando-se que os clientes devem deixar um adicional para o garçom, se ficarem satisfeitos com o serviço. Afinal, os clientes estão na posição ideal para monitorar a qualidade do serviço. E, como a maioria dos frequentadores de restaurantes prestigia repetidamente os mesmos locais, um garçom que receber uma gorjeta generosa por ter servido bem numa ocasião certamente prestará um serviço ainda melhor na próxima visita do cliente.

As pressões competitivas na indústria dos restaurantes impedem que um garçom maltrate os clientes, servindo mal àqueles que não derem gorjetas generosas. Se o garçom agisse dessa maneira, os clientes exerceriam a opção de comer em outro lugar.

No entanto, em outros contextos, os clientes não têm a mesma proteção. Por exemplo, um motorista insatisfeito não tem a opção de recorrer a outro local se for atendido de modo insatisfatório pelo funcionário do departamento de trânsito. As pessoas só vão ao departamento de trânsito quando são obrigadas. Embora fosse agradável ser mais bem atendido, é compreensível que relutemos em dar aos funcionários daquele órgão público o poder de exigir gorjetas como precondição para prestar atendimento.

Por que muitas redes de lanchonetes norte-americanas prometem que a refeição será gratuita se no ato do pagamento o recibo não for entregue? *(Sam Tingleff)*

A maioria das pessoas que fazem refeições em lanchonetes não está em viagem de negócios com as despesas pagas, portanto é improvável que alguém peça o recibo da refeição para obter reembolso. Nesse caso, por que tantas redes de lanchonetes colocam junto à caixa registradora um aviso de que as refeições serão gratuitas se um recibo não for entregue ao cliente quando for feito o pagamento?

Para impedir furto, os donos de restaurantes e outros estabelecimentos de varejo exigem dos caixas que o valor total recolhido durante o turno de cada caixa seja igual ao volume de vendas registrado na caixa registradora. Se o valor em dinheiro for menor, os caixas costumam ser responsáveis por cobrir a diferença.

Uma das maneiras pelas quais o caixa consegue burlar esse controle é deixando de registrar parte das transações. Essa tática funciona porque é difícil estabelecer uma relação entre as variações específicas no estoque de alimentos do restaurante e as transações individuais de cada caixa registradora. Portanto, se um caixa deixasse de registrar uma refeição de US$20 poderia embolsar esse dinheiro sem criar uma discrepância contábil no final do dia.

Os proprietários poderiam contratar supervisores para garantir que os caixas registrassem cada venda. Mas isso seria muito caro. Ao oferecer

Monitorando os empregados: o cliente sempre vê mais.

uma refeição gratuita a qualquer cliente a quem o recibo não seja entregue, os proprietários dão aos clientes um motivo econômico para que monitorem gratuitamente o trabalho dos caixas.

Por que, ao longo do tempo, o salário de um trabalhador costuma crescer mais depressa que sua produtividade? *(Edward Lazear)*

Um padrão comum nas empresas que oferecem contratos de trabalho longos é que, a cada ano, o salário do trabalhador aumente mais do que seu aumento de produtividade. Partindo do princípio de que, no decorrer da carreira do trabalhador na empresa, seu salário médio não pode ser maior que sua produtividade média, segue-se que nessas empresas os trabalhadores ganham menos do que valem durante os primeiros anos de vínculo, e mais do que valem durante os últimos anos. Mas qual a razão para a empresa manter o empregado quando seu salário se tornar maior do que seu valor para a empresa?

Uma explicação para esse perfil temporal de salários é que, na verdade, ele funciona como um recurso para evitar deslealdade e negligência por parte dos empregados. Somente nos Estados Unidos, atos de prevaricação por parte dos empregados custam às empresas bilhões de dólares por ano. Se as empresas pudessem encontrar formas de reduzir esse custo, poderiam pagar mais aos empregados e, ao mesmo tempo, aumentar os lucros. A atração potencial de um esquema em que o salário aumenta mais do que a produtividade é que um trabalhador desonesto ou preguiçoso não aceitaria um contrato desse tipo. Mesmo que nesses contratos o valor global dos salários ao longo da vida seja mais alto, a remuneração nos primeiros anos é inferior ao que o empregado pode conseguir em outro lugar, e um trabalhador desonesto teria razão para temer ser surpreendido e demitido antes de começar a receber o salário mais vantajoso. Por outro lado, um trabalhador honesto poderia aceitar as mesmas condições contratuais ao se sentir seguro de manter o cargo por tempo suficiente para colher o bônus tardio. As empresas, por sua vez, sabem que, se não mantiverem a reputação de honrar o contrato, comprometerão a própria capacidade de contratar novos empregados.

Por que, às vezes, os empregadores oferecem salários mais altos que o necessário para atrair mão de obra com a qualidade e na quantidade que desejam contratar? *(George Akerlof)*

A teoria dos mercados de trabalho competitivos afirma que os empregadores oferecerão salários apenas suficientes para atrair a força de trabalho que desejam. No entanto, em algumas empresas, é comum haver grande quantidade de candidatos altamente qualificados para cada vaga. Essas companhias não poderiam ter maiores lucros se pagassem salários menores?

É possível que oferecer salários mais altos crie uma relação que ajuda a garantir um comportamento honesto da parte dos empregados. Um trabalhador que recebesse apenas o salário médio teria pouco motivo para temer perder o emprego. Afinal, nos mercados de trabalho perfeitamente competitivos, os empregos com salários médios quase sempre estão disponíveis, mas empregos com salários elevados não costumam estar à disposição. Portanto, um trabalhador que tenha a sorte de conseguir um bom emprego tem um bom incentivo econômico para fazer o que for preciso a fim de mantê-lo. Em particular, é menos provável haver negligência por parte desse empregado do que de alguém que receba um salário médio. Se o desestímulo à negligência for bastante forte, ele permitirá à empresa permanecer lucrativa apesar do custo de pagar salários mais elevados.

Por que a maior parte das empresas verifica os antecedentes dos candidatos antes de fazer uma oferta de emprego, enquanto a maioria dos programas de MBA só verifica antecedentes depois que os candidatos são aceitos? *(Okwu Njoku)*

É costume das grandes corporações contratar empresas privadas para fazer uma investigação de antecedentes dos candidatos a emprego, antes de contratá-los. Muitas universidades fazem as mesmas pesquisas de antecedentes dos candidatos admitidos em programas de pós-graduação profissional. Porém, ao contrário do que fazem as empresas, a pesquisa das universidades tipicamente ocorre depois que os candidatos já foram admitidos. Por que as faculdades de negócios não investigam os candidatos aos programas de MBA antes de decidir se irão admiti-los?

Uma possível explicação é que o custo de contratar a pessoa errada na empresa é muito maior que o custo de admitir o candidato errado a um programa de MBA. Porém, nesse caso, por que os programas de MBA realizam essas dispendiosas pesquisas de antecedentes?

O processo de recrutamento dos programas de pós-graduação profissional difere do processo de recrutamento das grandes corporações. Os indivíduos que se candidatam a programas de pós-graduação, em geral, se inscrevem em diversas instituições ao mesmo tempo: em três ou quatro escolas de elite, em meia dúzia de escolas nas quais provavelmente serão aceitos e em mais algumas outras, por segurança. Como resultado, a maioria das instituições sabe que uma grande proporção dos candidatos aceitos irá matricular-se em alguma outra escola. Os indivíduos que estão procurando emprego em grandes corporações também podem se candidatar a vagas em várias organizações, porém, à medida que o processo de entrevistas evolui, é improvável que eles continuem a ser sérios candidatos a mais do que uma ou duas vagas. A pesquisa de antecedentes é dispendiosa. Os programas de MBA que realizam essas pesquisas só o fazem depois de ter uma comprovação razoavelmente categórica — como um cheque depositado — de que um candidato aceito tem real intenção de se matricular.

A MAIORIA DOS EMPREGOS EXIGE que os empregados trabalhem um determinado número de horas por semana em troca de um salário semanal fixo previamente acertado. No entanto, em alguns empregos, os trabalhadores são pagos somente quando vendem seus serviços diretamente ao público. Os dois próximos exemplos ilustram o tipo de decisão que os trabalhadores enfrentam nesse tipo de emprego.

Por que os músicos independentes, principalmente os mais talentosos, são favoráveis aos programas de compartilhamento gratuito de música, enquanto as estrelas com carreiras consolidadas tendem a ser contra eles? *(Kelly Bock, Chris Frank)*

Em 1999, quando a Napster apresentou o primeiro programa de compartilhamento de arquivos de música pela internet, estrelas consagradas como a banda Metallica e Madonna se apressaram a condená-lo. Por outro lado, muitos músicos independentes aplaudiram o compartilhamento de arquivos. Por que os músicos independentes desejam tanto ver suas músicas serem dadas de presente?

Uma parte substancial dos ganhos dos artistas consagrados vem da venda de CDs, logo não é surpresa que muitos façam oposição a que se dê aos consumidores livre acesso a suas músicas. Mas os incentivos para os músicos independentes são completamente diferentes. Eles não podem esperar receber somas significativas com a venda de CDs sem ter primeiro criado pelo menos uma sólida base regional de fãs. E, com dezenas de milhares de bandas independentes competindo por um número limitado de espaços nos quais se apresentar, a possibilidade de conseguir até mesmo esse nível de sucesso é remota. É claro que uma banda bastante boa pode, com o tempo, conseguir certa popularidade no mercado musical de sua área de atuação. Mas o maior obstáculo sempre foi passar do nível de popularidade local para o regional, e o compartilhamento de arquivos parece ter condicionado essa passagem ao mérito. Como os admiradores locais agora podem enviar músicas por e-mail aos amigos em cidades próximas, é mais provável que as melhores bandas consigam ser convidadas para se apresentar em salas de espetáculo externas aos próprios mercados.

Mesmo com sua música gratuitamente disponível na internet, uma banda independente que alcance certo nível de popularidade regional pode ter uma renda significativa com a venda de CDs. Admiradores intransigentes de música que não teriam problema em baixar gratuitamente músicas de artistas contratados por grandes gravadoras com frequência se dispõem a comprar CDs de suas bandas independentes favoritas.

Para resumir, essas reações observadas com relação ao compartilhamento de arquivos de música fazem sentido do ponto de vista econômico. Os artistas de renome tendem a perder com essa prática, enquanto os aspirantes a músicos independentes — principalmente os bons — só têm a ganhar.

Por que os motoristas de táxi deixam o trabalho mais cedo nos dias chuvosos?
(Linda Babcock, Colin Camerer, George Loewenstein e Richard Thaler)

Na maioria das grandes cidades, é possível conseguir imediatamente um táxi quando o tempo está bom. Quando chove, porém, é muito mais difícil. Uma razão óbvia para isso é que muitas pessoas caminham distâncias curtas quando o tempo está bom, mas preferem pegar um táxi quando chove. Portanto, qualquer frota de táxis deverá estar mais ocupada nos dias de chuva. Mas a oferta de táxis vagos também diminui porque os motoristas trabalham menos horas quando chove. Por quê?

De acordo com uma pesquisa recente, isso ocorre porque muitos motoristas de táxi só trabalham o suficiente para alcançar uma receita diária definida. Nos dias de sol, eles precisam passar muitas horas circulando para conseguir passageiros, portanto demoram mais a alcançar a receita desejada. Contudo, esse valor pode ser obtido mais depressa quando chove, pois os táxis tendem a estar ocupados a maior parte do tempo.

O fato de encerrar o trabalho mais cedo nos dias de chuva é precisamente o oposto do que os incentivos econômicos parecem favorecer. Afinal, num dia ensolarado, o custo de oportunidade de encerrar o trabalho uma hora mais cedo é muito menor do que seria num dia chuvoso. Se a meta dos motoristas de táxi fosse alcançar determinado nível de renda em um período mais longo — digamos, um mês —, trabalhando o menor número de horas possível, eles deveriam trabalhar por mais tempo nos dias chuvosos e tirar mais folgas nos dias ensolarados.

A MENOS QUE O CUSTO DE OPORTUNIDADE de seu tempo seja zero, você arca com um custo quando corta a grama de casa ou passa suas camisas. A maioria das pessoas e empresas precisa decidir quais serviços elas deverão realizar por si mesmas e quais delegarão a prestadores de serviço. O exemplo a seguir ilustra como essas decisões do tipo "fazer/contratar" funcionam em situações distintas.

Por que se tornou tão comum contratar um profissional para trocar um pneu furado? *(Timothy Alder)*

Recentemente, um estudante realizou uma enquete entre 16 membros de sua família, perguntando a eles se sabiam trocar um pneu furado. Nove responderam que não e os outros sete disseram que sim, embora vários tenham admitido nunca haver trocado. As respostas também revelavam um padrão claro: os nove que afirmaram não saber trocar um pneu eram mais jovens que os sete que pensavam saber. Por que a capacidade de trocar pneus parece estar desaparecendo?

Como sempre, o naturalista da economia procura responder a essas perguntas examinando alterações nos custos e benefícios relevantes. O custo de aprender a trocar um pneu furado não parece ter sofrido uma alteração considerável durante a última geração. Se mudou, deve ter sido ligeiramente para baixo, graças a melhorias no projeto dos macacos usados para elevar as rodas.

No entanto, mudanças significativas aconteceram do lado do benefício de aprender a trocar um pneu furado. A primeira é que os avanços no projeto dos pneus fazem com que hoje seja menos comum ter um pneu furado. Muitos carros até contam com pneus que rodam vazios, permitindo aos motoristas dirigir com segurança até mesmo quando a pressão do pneu é extremamente baixa. Outra mudança significativa é o fato de que a maioria dos indivíduos agora conta com telefones celulares enquanto dirige, o que permite chamar um serviço de reparos mesmo de locais remotos.

Nos dois aspectos, os benefícios de saber trocar um pneu são menores do que já foram. Pneus melhores tornaram mais improvável a necessidade dessa habilidade e, se o pneu furar, é mais fácil pedir ajuda. Por causa dessas mudanças, muitos motoristas jovens parecem ter decidido que o benefício de aprender a trocar um pneu já não supera o custo.

Por que as empresas preferem pagar altos salários a consultores temporários de administração a contratar gerentes em tempo integral por salários muito mais baixos? *(James Balet)*

Quando uma empresa contrata serviços de empresas de assessoria administrativa, ela não paga somente pelo tempo dos consultores, mas também precisa cobrir os substanciais encargos de despesas gerais cobrados por aquelas empresas. Nos Estados Unidos, algumas delas cobram US$3 de encargos sobre cada dólar do salário que pagam aos consultores. Por que as empresas-clientes não economizam contratando diretamente mais gerentes?

Uma explicação possível é que os serviços de consultoria administrativa são análogos aos dispendiosos geradores que as empresas de distribuição de energia elétrica empregam para atender à demanda nos horários de pico. Essas empresas atendem a maior parte da demanda com os geradores de carga de base, que custam caro, mas cuja operação é relativamente barata. Não vale a pena atender a demandas temporárias com esse tipo de equipamento dispendioso, porque ele ficaria ocioso a maior parte do tempo. Portanto, as fornecedoras de energia elétrica atendem aos curtos picos de demanda com geradores cuja operação é mais cara, mas que custam muito menos que os equipamentos de carga de base.

Da mesma forma, a demanda por serviços administrativos dentro de uma empresa nunca é perfeitamente uniforme ao longo do tempo. Portanto, a maioria das empresas pode considerar prudente contratar a própria equipe de gerentes em tempo integral para atender a maior parte dos serviços administrativos do dia a dia e contratar por períodos curtos consultores para atender as necessidades de pico. É verdade que cada hora de consultoria custa muito mais que a hora de administração oferecida por um empregado da empresa. Porém, se os períodos de demanda extraordinária por serviços administrativos forem suficientemente curtos, talvez seja mais barato atender a muitos desses serviços com recursos dispendiosos de consultoria. A alternativa, afinal, seria contratar mais gerentes, que ficariam ociosos a maior parte do tempo.

Uma segunda possibilidade é que as empresas estão dispostas a pagar quantias elevadas para consultores administrativos porque sabem que muitas vezes é mais fácil implantar estratégias de negócio polêmicas se forem propostas por consultores externos e respeitados. Uma companhia pode saber, por exemplo, que a perspectiva de queda nas vendas a obriga a dispensar parte de seu corpo funcional, mas teme dar esse passo por causa do efeito sobre o moral dos empregados que não forem demitidos. Nesses casos, pode ser mais fácil dizer aos trabalhadores que as dispensas não foram uma ideia da gerência da empresa, mas uma recomendação da McKinsey.

Por que uma empresa fornecedora de energia elétrica mantém um advogado externo permanentemente contratado por uma alta soma, quando poderia contratar o mesmo advogado por menos da metade do preço?

Uma empresa de fornecimento de energia elétrica no norte do estado de Nova York paga a um escritório de advogados de Chicago mais de US$1 milhão por ano em honorários pelos serviços em tempo integral de um dos titulares da firma. O escritório de advocacia paga àquele advogado um salário anual de pelo menos US$500 mil. Por que a fornecedora de energia elétrica não economiza meio milhão de dólares por ano contratando diretamente aquele advogado?

Por estarem sujeitas a regulamentos, as fornecedoras de energia elétrica empregam em caráter permanente uma equipe de advogados para tratar de seus casos junto às agências reguladoras. Como esses casos quase sempre são rotineiros, os advogados que fazem parte do corpo funcional da empresa podem, em geral, ser contratados por menos de US$100 mil por ano. No entanto, uma pequena proporção dos casos legais da fornecedora envolve somas muito elevadas. Para esses casos, mesmo pequenas diferenças em capacitação legal podem representar milhões de dólares por ano em lucros para os acionistas. Dessa forma, a fornecedora tem interesse claro em contratar os maiores talentos legais para supervisionar esses casos, mesmo que isso signifique pagar salários extremamente altos.

Se a fornecedora incluísse em seu quadro um advogado com salário de US$500 mil por ano, isso, inevitavelmente, causaria exigências de aumento de salário da parte dos advogados da empresa que ganham menos. Quando se avalia o custo de lidar com essas exigências salariais, pode sair mais barato pagar US$1 milhão a um advogado que atue como consultor externo.

O ÚLTIMO EXEMPLO deste capítulo ilustra o fato de que a remuneração que um profissional recebe por seus serviços pode afetar o tipo de atendimento que ele presta.

Por que, nos Estados Unidos, um paciente com um problema no joelho tem mais chance de fazer um exame de ressonância magnética se tiver um seguro de saúde convencional do que se pertencer a uma HMO?*

Nos contratos convencionais de seguro de saúde os médicos são reembolsados de acordo com esquemas pré-definidos de honorários para cada serviço que prestarem ao paciente. Quanto mais serviços prestarem, mais receberão.

Por outro lado, uma HMO é uma cooperativa de médicos que cobra de cada paciente uma taxa fixa anual. Em troca, os médicos concordam em prestar qualquer serviço que acreditem ser do interesse do paciente. De acordo com os contratos dessas organizações, os médicos recebem o mesmo valor por paciente, não importa quantas vezes este seja atendido.

Sem dúvida, a maioria dos médicos tenta atender da melhor forma possível às necessidades de saúde do paciente, seja qual for o tipo de contrato sob o qual esteja trabalhando. No entanto, sempre há casos ambíguos. Um paciente com dor no joelho, por exemplo, pode melhorar simplesmente se ficar em repouso por algumas semanas. Contudo, um exame caro de ressonância magnética pode revelar problemas estruturais que seriam mais bem tratados por cirurgia. Nesses casos, como os médicos da organização de manutenção de saúde arcam com o custo do exame — e da cirurgia, se for o caso —, inevitavelmente isso predisporá alguns deles a favorecer uma estratégia de dar tempo ao tempo. Um médico que trate o mesmo paciente num regime de seguro de saúde tem uma motivação muito mais forte para pedir imediatamente o exame.

* Organização de saúde nos Estados Unidos que oferece planos de saúde com cobertura em todo o país. *(N. da E.)*

4

Por que alguns consumidores pagam mais que outros

Aspectos econômicos dos preços com desconto

A lei do preço único se aplica com mais intensidade aos mercados perfeitamente competitivos, ou seja, aos mercados como o do sal ou do ouro, em que muitos fornecedores vendem produtos altamente padronizados. No entanto, muitos produtos não são vendidos em mercados perfeitamente competitivos. Por exemplo, embora os filmes de determinado gênero possam parecer intercambiáveis, as projeções de filmes numa região não são produtos padronizados. A localização dos diversos cinemas e as diferenças nos horários tornam cada projeção única em pelo menos um aspecto. E poucos frequentadores de cinema considerariam *Casablanca* o substituto perfeito para *Todo mundo em pânico VIII.*

Como a lei do preço único não se aplica ao mercado de cinema, os economistas não se surpreendem com o fato de nem todos os ingressos custarem o mesmo preço. As matinês, por exemplo, geralmente são mais baratas que as sessões noturnas do mesmo filme, porque o número de pessoas que podem ir ao cinema durante a tarde é menor do que o daquelas que podem ir à noite.

Os donos de cinema também dão descontos para grupos específicos de pessoas — estudantes e idosos, por exemplo — cuja demanda se acredita ser mais sensível ao preço. Ao contrário do que ocorre com o ouro ou o sal, os ingressos de cinema não podem ser revendidos. Um jovem não pode comprar um ingresso de estudante e obter lucro revendendo-o a um adulto, porque o ingresso com desconto só é válido para portadores de carteira de estudante. Quando o vendedor está comercializando uma experiência, e não um produto tangível, as oportunidades para arbitragem são inerentemente limitadas. Não seria possível, por exemplo, um estudante assistir a um filme e posteriormente tentar vender a experiência a um adulto.

Porém, em mercados para produtos tangíveis — principalmente os de alto preço —, a possibilidade de arbitragem limita a capacidade de que até mesmo os monopolistas estabeleçam preços mais altos para alguns compradores. Para mulheres que só usam calçados de Manolo Blahnik, por exemplo, Blahnik é estritamente monopolista. Mesmo assim, a possibilidade de transações de revenda entre compradoras limita a capacidade da empresa de definir preços individuais, com base na aceitação do preço pelo comprador. Da mesma forma, os donos de cinema teriam dificuldade em cobrar dos adultos R$10 pela pipoca e dos estudantes R$4, já que nada impediria os estudantes de comprar pipoca com desconto e revendê-la com lucro a um adulto.

Embora a possibilidade de arbitragem muitas vezes limite a capacidade de cobrar preços diferentes pelo mesmo produto, os vendedores desenvolveram métodos engenhosos para contornar essa restrição. Muitos desses truques têm uma característica em comum: o vendedor permite ao comprador adquirir o produto com desconto, desde que o comprador aceite ultrapassar algum tipo de barreira. O exemplo mais comum é a liquidação temporária. Quem se dispuser a fazer o esforço de procurar saber quando será a liquidação e de comprar naquele período obterá um desconto. Quem não quiser tomar essas providências pagará um preço mais elevado.

Depois de ter visto alguns exemplos do método das barreiras na precificação diferencial, dificilmente encontraremos produtos cujos vendedores não empregaram alguma versão desse método. Há alguns anos, fui a um congresso em Minneapolis. Antes de partir, fiz uma reserva em um hotel cuja tarifa diária era o equivalente a US$200 nos valores atuais. Ao fazer o registro, percebi ao lado do recepcionista um cartaz em que se lia: "Pergunte sobre nossas tarifas especiais." Curioso, perguntei do que se tratava e me disseram que eu poderia pagar US$150 pelo quarto.

A barreira que precisava ser superada para ter direito ao desconto era fazer uma simples pergunta. Como era um obstáculo tão pequeno, é natural duvidar de que qualquer cliente deixasse de perguntar sobre o desconto. No entanto, quando pedi essa informação ao recepcionista, ele me disse que a maioria das pessoas não se dava a esse trabalho.

Do ponto de vista do vendedor, um desconto com barreira é eficaz se os potenciais compradores com alta sensibilidade ao preço (e que provavelmente não comprariam o produto sem desconto) considerarem a barreira fácil de superar, enquanto os que não são sensíveis ao preço consideram que a barreira é difícil ou que simplesmente não vale a pena tentar superá-la. Em meu caso, o cartaz convidando os clientes a perguntarem sobre as tarifas especiais acabou por custar US$50 ao hotel. No entanto, ele poderia ter sido uma barreira eficaz para alguns hóspedes que não fizeram antecipadamente o registro. Alguns talvez considerem inconveniente perguntar sobre uma tarifa especial, e esses raramente são sensíveis ao preço. Outros, como as pessoas que viajam a trabalho com as despesas pagas, podem simplesmente não se incomodar.

Os dois primeiros exemplos deste capítulo ilustram métodos específicos de descontos com barreiras.

Por que os preços do frigobar dos hotéis são tão exorbitantes? *(Kem Wilson)*

Se você usar uma garrafa de 1L de água mineral Evian do frigobar do Parker Meridian Hotel, em Manhattan, terá de pagar US$4 por ela. Mas se você caminhar até o mercadinho Duane Reade, na próxima esquina, poderá comprá-las por US$0,99. Por que os preços dos artigos do frigobar do hotel são tão inflacionados?

Um estabelecimento do comércio varejista consegue vender qualquer artigo por um valor menor do que aquele que um amador poderá cobrar. Afinal, o estabelecimento de varejo vende grandes volumes e pode tirar proveito da eficiência da especialização. Isso poderia justificar a necessidade de o hotel cobrar até US$2 para cobrir os custos de vender uma garrafa de água que o mercadinho vende por US$1. Mas é inconcebível que os custos do hotel sejam quatro vezes maiores que os do mercadinho.

É mais plausível considerar que os preços do frigobar são tão altos porque a venda desses artigos dá ao hotel um meio indireto de oferecer descontos aos consumidores sensíveis ao preço. Para conseguir uma alta taxa de ocupação, os hotéis são pressionados a oferecer quartos a preços competitivos. Muitos hotéis, por exemplo, oferecem tarifas mais baixas nas reservas feitas pela internet, o que é coerente com as indicações de que os compradores da internet são mais sensíveis ao preço.

Como a indústria hoteleira é muito competitiva, os hotéis não têm uma margem de lucro muito elevada. Para dar aos hóspedes mais sensíveis ao preço descontos interessantes, um hotel deve encontrar meios de obter uma receita adicional com os outros hóspedes. Os hotéis sabem perfeitamente que oferecer artigos do frigobar a preços inflacionados garante que muitos hóspedes não utilizem esses artigos. Mas eles também sabem que os hóspedes menos sensíveis ao preço não se deixarão intimidar pelos altos valores da tabela do frigobar. Os lucros adicionais obtidos com esses hóspedes permitem aos hotéis oferecer maiores descontos nas tarifas dos quartos. Nesse caso, a barreira do desconto é ter de abrir mão da conveniência de usar os artigos do frigobar. Essa atitude confere elegibilidade para contas de hotel mais baixas, possíveis graças aos preços elevados do frigobar.

Por que é mais caro fazer uma transferência eletrônica entre bancos do que enviar um cheque pelo correio? *(Selin Doganeli)*

Se alguém lhe deve R$20 mil, é possível escolher entre pelo menos duas formas de transferir dinheiro do banco do devedor para o seu. Ele pode enviar um cheque, que o seu banco depositará em sua conta sem cobrar qualquer tarifa, ou pode instruir o próprio banco a transferir o dinheiro para sua conta, caso em que seu banco cobrará uma taxa pela transferência. Por que seu banco cobra o recebimento de uma transferência eletrônica de fundos embora, na verdade, o processamento de um depósito em cheque custe mais?

Processar um cheque envolve manipulação, microfilmagem e, em geral, envio de documentos em papel. Podem ser necessários vários dias para que o dinheiro seja efetivamente creditado em sua conta. Por outro lado, com a transferência eletrônica de fundos tudo acontece mais ou menos à velocidade da luz. Um empregado do banco digita a informação relevante no computador e instantaneamente ajustam-se as quantias das contas do banco de origem e do banco recebedor.

Os bancos cobram mais pelas transferências eletrônicas porque os clientes que escolhem transferir dinheiro dessa maneira revelam, ao fazê-lo, que a velocidade de transferência tem um valor significativo para eles. As transferências em cheque costumam envolver quantias menores, portanto a demora para receber o dinheiro costuma ser irrelevante. Por outro lado, as transferências eletrônicas costumam envolver somas maiores. Em geral, trata-se de fundos necessários para completar transações comerciais urgentes. Como os clientes valorizam a velocidade dessas transações, os bancos descobriram que podem cobrar taxas significativas por elas.

Portanto, aguardar a compensação do cheque antes de poder gastar o dinheiro é uma barreira que você pode superar para evitar a taxa de transferência eletrônica de fundos.

Ganhos de eficiência na precificação com descontos

Imagine uma situação em que todos os alunos de uma turma do terceiro ano do ensino fundamental fossem instruídos a formar uma fila por ordem decrescente de altura. Imagine então que esses alunos voltem para a sala de aula, a partir do primeiro da fila, entrando um de cada vez a cada cinco minutos. À medida que os estudantes voltam para a sala, o que acontecerá com a média de altura dos alunos na sala cada vez que entrar um novo aluno? Como cada aluno a entrar é menor que os já presentes, a altura média do conjunto de alunos claramente diminuirá a cada nova chegada.

Esse padrão é semelhante a um modelo de custo que tem implicações importantes para os padrões de formação de preço no mercado. Em muitos processos produtivos, o custo marginal (no jargão da economia, esse é o custo de produzir uma unidade adicional) é menor que o custo médio — o custo total em que o produtor incorreu, dividido pelo número total de unidades produzidas. Essa estrutura de custos é característica dos processos produtivos em que se diz haver "economia de escala". Nesses processos, o custo médio continua a cair à medida que o número de unidades produzidas aumenta, da mesma forma que diminui a altura média da turma quando cada aluno a entrar na sala é menor que os anteriores.

Para sobreviver em longo prazo, os produtores têm de vender seus produtos a preços que, na média, sejam pelo menos iguais ao custo médio de produção. (Se o preço médio por unidade vendida for menor que o custo médio, o fabricante terá prejuízo.) Mas muitas vezes é vantajoso para os produtores vender parte de seus produtos a preços inferiores ao custo médio. Um produtor pode aumentar o lucro toda vez que for capaz de vender mais uma unidade por um valor maior que o custo marginal, desde que isso não o obrigue a reduzir o preço das unidades vendidas a outros compradores.

O método de desconto com barreiras é uma ferramenta indispensável para os vendedores cujos processos produtivos envolvem economia de escala. Ao fazer descontos para os compradores sensíveis ao preço, sem reduzir o valor para os outros, eles podem expandir as vendas, baixando, assim, o custo médio de produção.

O serviço de transporte aéreo entre duas cidades é um processo produtivo com economia de escala. O custo médio diminui em função do número de passageiros transportados. Uma razão para isso é o fato de que o custo médio por assento-milha voada numa aeronave de grande porte é significativamente mais baixo do que numa aeronave menor. Por exemplo, o custo médio por assento em um voo doméstico é 25% menor em um Boeing 737-900ER, com 180 lugares, do que em um 737-600, que tem capacidade para 110 passageiros. Outro fator que torna o custo por assento-milha menor nos aviões maiores é o fato de muitos dos custos de cada voo serem fixos, independentemente do número de passageiros conduzidos. Recaem nessa categoria as despesas da companhia com a manutenção da aeronave e com os escassos "slots" de pouso e decolagem nos aeroportos de grande movimento. O lado positivo é que qualquer empresa aérea que consiga atrair mais passageiros para seus voos pode reduzir substancialmente o custo médio para transportar cada passageiro.

A precificação com desconto permite aos vendedores atrair mais consumidores. Nas tarifas com grandes descontos, uma das barreiras de desconto mais eficazes já imaginadas é a exigência de que o passageiro não retorne no sábado à noite. Como é de conhecimento dos executivos de marketing das empresas aéreas há muito tempo, quem viaja a negócios é muito menos sensível às tarifas aéreas do que quem viaja a passeio. Quem viaja a negócios também tipicamente deseja passar o fim de semana com a família. Os turistas, por outro lado, quase sempre fazem viagens que envolvem pelo menos um final de semana. Para as empresas aéreas, tornar obrigatória a permanência no destino durante o sábado como requisito para descontos foi a barreira quase perfeita: poucos viajantes a negócios estão dispostos a aceitar essa restrição, e a maioria dos passageiros a passeio pode aceitá-la com facilidade.

Os viajantes a negócios costumam manifestar ressentimento por pagarem tarifas mais elevadas que as dos turistas nos assentos adjacentes. No entanto, a capacidade das empresas aéreas de explorar a barreira da permanência aos sábados pode criar benefícios líquidos até mesmo para os primeiros.

No mercado do transporte aéreo, a conveniência de horário é uma característica excepcionalmente valiosa para quem viaja a negócios. No entanto, no mercado do transporte entre quaisquer cidades, o volume potencial de tráfego é limitado. Dessa maneira, do ponto de vista econômico, uma empresa aérea só pode oferecer serviços mais frequentes se empregar aeronaves menores, a um custo médio por assento mais elevado. No entanto, a maioria dos turistas ficaria feliz em sacrificar a conveniência de um serviço mais frequente em troca de tarifas mais baixas, viabilizadas por voos menos frequentes de aviões maiores.

Graças à barreira da permanência aos sábados, os dois grupos de passageiros podem ser mais beneficiados do que se as empresas aéreas estabelecessem tarifas iguais para todos. Por tornar a tarifa mais atraente para passageiros em turismo, a restrição possibilita às transportadoras utilizar aviões maiores e mais eficientes do que seria possível sem ela. A consequente redução dos custos reduz o aumento de preço que seria necessário para cobrir o serviço frequente que os passageiros em negócios demandam. Ao mesmo tempo, os turistas desfrutam da conveniência de voos frequentes pelas mesmas tarifas reduzidas que costumavam pagar por assentos em voos fretados.

É injusto que os passageiros em negócios tenham de pagar tarifas mais altas por não poderem atender à restrição de permanência aos sábados? Se esses passageiros não quisessem voos frequentes, as empresas aéreas poderiam utilizar aviões maiores e mais eficientes do que costumam utilizar. Portanto, as tarifas mais altas pagas pelos passageiros em negócios pelo menos em parte compensam os custos mais elevados por assento associados com as aeronaves menores que os transportadores precisam usar para atender à demanda gerada por eles.

É claro que os descontos com barreiras não rateiam com perfeita equidade os custos da companhia aérea. Alguns turistas, por exemplo, desejam mais frequência no serviço e estão dispostos a pagar por isso. Eles escapam de fazê-lo porque podem atender à exigência de permanência no sábado. Da mesma forma, alguns homens de negócios estariam dispostos a tolerar um serviço mais infrequente se pudessem pagar menos. Entretanto, se tudo for levado em conta, aparentemente há pelo menos certa justiça no atual sistema de precificação das companhias aéreas.

Os próximos exemplos exploram as estratégias de preço que ajudam produtores e consumidores a compartilhar as vantagens nos custos propiciadas pela economia de escala.

Por que um vendedor de eletrodomésticos amassaria as laterais dos fogões e refrigeradores?

Uma pequena fração dos eletrodomésticos sofre pequenos danos quando são transportados da fábrica para as lojas. Em vez de enviar esses equipamentos de volta à fábrica para reparos, os comerciantes descobriram que é mais simples vendê-los com desconto. A Sears Roebuck foi um dos primeiros campeões na venda de equipamentos domésticos com pequenos defeitos.

Na liquidação anual de mercadorias com pequenos defeitos, o estoque nem sempre é suficiente.

No entanto, começaram a circular boatos de que nos dias anteriores à liquidação, a Sears fazia empregados do depósito amassarem as laterais de equipamentos sem defeito algum. Seriam esses comentários apenas outra lenda urbana? Ou será que um comerciante em busca de lucros tem sólidas razões econômicas para intencionalmente danificar parte de sua mercadoria?

Mais uma vez, a meta de qualquer esquema de descontos é oferecer um preço mais atraente aos potenciais compradores que não aceitam pagar o preço de tabela, porém mantendo o desconto disponível ao menor número possível de outros compradores. Os comerciantes de equipamentos domésticos podem ter descoberto por acidente que, segundo esse critério, um refrigerador com uma pequena mossa é uma excelente barreira para segregar compradores potenciais. Para participar de uma liquidação de mercadorias com pequenos defeitos, o comprador precisa saltar três barreiras de uma só vez: descobrir quando a liquidação acontecerá; organizar a própria agenda de modo a ir à loja naquele dia específico e estar preparado para conviver com a ideia de que sua geladeira tem um amassado, mesmo que ele fique escondido atrás de uma parede depois que o equipamento for instalado. Poucos consumidores perdulários estariam dispostos a superar uma dessas barreiras. No entanto, a Sears rapidamente descobriu que um número substancial de consumidores sensíveis ao preço não tinham problemas em superar as três.

Portanto, não é absurdo imaginar que um vendedor de equipamentos com um estoque limitado de mercadorias com pequenos arranhões causados pelo transporte poderia considerar lucrativo mandar um empregado ao depósito com martelo no dia anterior à liquidação de mercadorias com pequenos defeitos. Essa prática aumenta a venda de equipamentos eletrodomésticos, reduz o custo médio por equipamento e cria a possibilidade de baixar os preços para todos os consumidores.

Por que a Apple vende o laptop preto por US$150 a mais que um laptop branco de configuração idêntica? *(Chris Frank)*

No dia 1º de julho de 2006, o site da Apple anunciava o computador MacBook de 13" por US$1.299 se a máquina tivesse a tradicional caixa de plástico branco. Por outro lado, o preço do MacBook preto de 13" era US$1.499. Uma análise mais detalhada, porém, revelou que o modelo preto estava equipado com um disco rígido de 80Gb, ou seja, com 20Gb a mais que o disco rígido padrão do modelo branco. Até aí, não há mistério: a máquina melhor era vendida por um preço mais alto. Contudo, um exame mais profundo revelou que, opcionalmente, o modelo branco podia ser comprado com um disco rígido de 80Gb. E qual era o aumento do preço da máquina branca com um disco maior? Apenas US$50. Portanto, temos realmente um mistério. Por que o computador preto, cujo custo de produção para a Apple é essencialmente igual ao da máquina branca de mesma configuração, custa US$150 a mais?

Sem dúvida, essa precificação da Apple foi influenciada pela experiência da empresa ao apresentar, no outono de 2005, a versão preta de seu popular iPod. Embora o preço do equipamento fosse o mesmo do tradicional iPod branco da empresa, e apesar de os dois equipamentos serem tecnicamente idênticos, a demanda por unidades pretas rapidamente esgotou os estoques, ao passo que os aparelhos brancos continuaram nas prateleiras. Como a versão preta era nova, ela se destacou, gerando muitas encomendas. Ao atribuir o mesmo preço às duas unidades, a Apple havia deixado de ganhar dinheiro. Ao lançar os novos modelos do MacBook, na primavera de 2006, a empresa parece ter aprendido a lição: cobrou mais pelas máquinas pretas, simplesmente porque podia fazê-lo.

O preço mais alto dos computadores pretos é injusto? Tal como o custo médio de produzir viagens aéreas, o custo médio de produzir computadores cai rapidamente em função do número de unidades produzidas. Isso é, em grande parte, uma consequência do fato de que os custos de pesquisa e desenvolvimento da companhia não variam com o número de unidades produzidas. Ela, então, pode aumentar os lucros vendendo mais máquinas a um preço inferior ao custo médio, mas superior ao custo marginal. Porém, para cobrir o custo de desenvolvimento a empresa também deve vender algumas de suas unidades a um preço superior ao custo médio.

Num mundo justo, aqueles que dão mais valor às novas características criadas pelo programa de pesquisa e desenvolvimento de uma empresa deveriam pagar uma fração maior de seu custo. E quem são essas pessoas? Os compradores menos sensíveis ao preço são, em grande parte, os mesmos que estariam dispostos a pagar mais pela tecnologia de ponta de uma nova máquina. O programa de P&D beneficia todos os compradores, mas beneficia muito mais aqueles que aceitariam pagar mais pelas novas características. O preço mais elevado das máquinas pretas é um recurso pouco sutil para identificar esses compradores. Dado que essa barreira funciona, os compradores das máquinas pretas, mais caras, não têm do que se queixar.

Por que os ingressos para séries de concertos nos Estados Unidos são muito mais baratos? *(Michael Li)*

A Orquestra Sinfônica de Chicago, como muitas outras orquestras de elite, vende ingressos para apresentações individuais e também diversas assinaturas para séries de concertos. Como diz o nome, os ingressos para uma série dão aos compradores o direito de assistir a um conjunto de apresentações e são vendidos com desconto de 30 a 35% sobre o preço das apresentações individuais. Por que ingressos para séries são tão mais baratos?

Essa forma de precificação de ingressos permite à orquestra distribuir por plateias maiores os custos fixos de cada apresentação. Imagine que a Sinfônica de Chicago tenha programado uma série de duas apresentações. A primeira consiste de sinfonias de Berlioz e Tchaikovsky, e a segunda, de Bartok e Stravinsky. Partamos do princípio de que a plateia potencial para essas apresentações é composta por quatro grupos do mesmo tamanho. Os membros do primeiro grupo são apreciadores do período romântico, cada um dos quais estaria disposto a pagar até US$40 por um ingresso para o primeiro concerto e até US$20 por um ingresso para o segundo concerto. Os membros do segundo grupo preferem música neoclássica e pagariam até US$20 pelo primeiro concerto, mas até US$40 pelo segundo. Os membros do terceiro grupo são admiradores apaixonados de Tchaikovsky. Eles pagariam até US$45 pelo primeiro concerto, mas somente US$5 pelo segundo. Finalmente, os membros do quarto grupo são fãs incondicionais de Stravinsky. Eles pagariam até US$45 pelo segundo concerto, mas somente US$5 pelo primeiro.

Diante dessas premissas sobre o valor atribuído pelos potenciais espectadores aos dois eventos o melhor que a Sinfônica de Chicago poderia fazer se vendesse apenas ingressos isolados para cada espetáculo seria cobrar US$40. A esse preço, os amantes do período romântico e os fãs de

Tchaikovsky iriam apenas ao primeiro concerto, enquanto os admiradores de música neoclássica e os fãs de Stravinsky iriam apenas ao segundo espetáculo. Se cada um dos quatro grupos tivesse cem membros, a plateia de cada evento seria composta de duzentos participantes, e a renda total em ingressos alcançaria US$16 mil.

Mas suponha que a Orquestra Sinfônica de Chicago pudesse oferecer ingressos para a série de dois espetáculos. A melhor decisão então seria cobrar US$45 pelas apresentações individuais (US$5 a mais que antes) e vender a série por apenas US$30 por espetáculo (US$10 a menos que antes). Dessa forma, os admiradores de Tchaikovsky iriam apenas ao primeiro concerto, enquanto os admiradores de Stravinsky iriam apenas ao segundo, como antes. Porém, enquanto na hipótese da venda de ingressos individuais os fãs de música romântica e os de música neoclássica foram a apenas um concerto, agora os membros desses dois grupos irão a ambos os concertos. Portanto, embora os fãs de música romântica paguem US$10 a menos pelo primeiro concerto, o fato de irem ao segundo concerto deixa para a Sinfônica de Chicago um ganho líquido de US$20. Da mesma forma, mesmo que os fãs de música neoclássica paguem US$10 a menos para assistir ao segundo concerto, sua presença no primeiro concerto deixa o lucro líquido de US$20.

A maioria das sinfônicas luta para realizar a cada ano uma receita de ingressos suficiente para cobrir os custos das apresentações. Oferecer assinaturas para séries de concertos ajuda a resolver esse problema. Partindo mais uma vez do princípio de que cada um dos quatro grupos contém cem membros, a Sinfônica de Chicago agora lucraria US$21 mil com a receita total dos ingressos, US$5 mil a mais que antes. Essa é a lógica por trás da oferta de preços especiais pelos pacotes de ingressos.

Por que as empresas aéreas cobram muito mais pelos bilhetes comprados na última hora, enquanto os teatros da Broadway adotam prática oposta? *(Gerasimos Efthimiatos)*

Os apreciadores de teatro que vão à bilheteria de Times Square, em Nova York, no meio da tarde podem comprar pela metade do preço ingressos para muitas peças da Broadway apresentadas na mesma noite. No entanto, quem faz uma reserva numa companhia aérea para um voo do mesmo dia pode esperar pagar uma sobretaxa substancial, às vezes maior que 100%. O que explica essa diferença?

Um assento vazio quando o avião decola ou quando a cortina sobe significa uma perda permanente de receita. Tanto as empresas aéreas quanto os teatros têm bons motivos para vender tantos assentos quanto possível. Ao mesmo tempo, vender um assento a um preço reduzido muitas vezes significa perder a oportunidade de vendê-lo para alguém que pagaria o preço normal de tabela. Portanto, como sempre, o desafio do marketing é preencher o máximo de lugares possível sem fazer um sacrifício muito grande na receita média por assento.

No setor dos transportes aéreos, os executivos de marketing descobriram bem cedo que quem viaja a serviço tem mais probabilidade de mudar no último minuto o horário do voo do que quem viaja em férias. As decisões nas viagens de negócios também são menos condicionadas pelas tarifas do que as decisões nas viagens de turismo. A estratégia das empresas aéreas, portanto, foi cobrar tarifa cheia daqueles que reservam passagens no último minuto (predominantemente viajantes a serviço) e dar descontos àqueles que reservam com muita antecedência (principalmente turistas).

O equilíbrio de forças é um pouco diferente na indústria teatral. Os indivíduos de alta renda são menos sensíveis ao preço do ingresso que os de baixa renda, tal como na indústria das viagens aéreas, mas os espectadores de alta renda dificilmente compram ingressos no último minuto. Comprar os ingressos por metade do preço no último minuto na bilheteria de Times Square propõe duas barreiras aos frequentadores de teatro. A primeira é a necessidade de enfrentar fila, em geral por uma hora ou mais. Poucas pessoas de alta renda estão dispostas a fazer isso para poupar alguns dólares. A segunda barreira, mais importante, é que só são vendidos ingressos com desconto para determinados espetáculos, que geralmente não são os mais populares. O tempo das pessoas de alta renda tem um custo de oportunidade muito alto e elas provavelmente só investirão uma preciosa noite livre assistindo aos espetáculos que mais querem ver. Os espectadores de baixa renda, muito mais sensíveis ao preço, consideram muito mais fácil superar essas duas barreiras. Se não houvesse a opção de enfrentar uma fila naquela bilheteria, eles provavelmente nunca veriam um show da Broadway.

Embora as barreiras específicas sejam muito diferentes nos dois casos, ambas têm o efeito de preencher mais assentos — portanto, de reduzir o custo médio por consumidor servido —, o que não aconteceria se elas não existissem.

OBRIGAR OS CONSUMIDORES A SUPERAR UMA BARREIRA para terem acesso a um desconto envolve desperdício, na medida em que é necessário esforçar-se para vencer o obstáculo. Mas, em alguns casos, a barreira do desconto é apenas a necessidade de ter alguma informação. Uma vez que você a tenha, poderá pagar os preços mais baixos sem qualquer esforço adicional.

Se uma "xícara" costuma conter 240mL, por que a menor xícara de café no menu da rede Starbucks é o tamanho "tall", que contém 350mL? *(Jennifer Anderson)*

No mundo, a Starbucks é o maior fornecedor de cafés especiais preparados na loja. Desde 1999, o cardápio da empresa oferece café em três tamanhos: tall (350mL), grande (470mL) e venti (600mL). No entanto, tecnicamente, uma xícara de café contém apenas 240mL e pode chegar a 180mL. Até mesmo as instruções de preparação da própria rede Starbucks determinam: "Recomendamos usar duas colheres (sopa) de café moído para cada 180mL de água." Nesse caso, por que a Starbucks não vende uma xícara de café do tamanho padrão?

Na verdade, ela vende. Se você pedir ao funcionário a opção short (curto), o café de sua escolha será servido num recipiente de 240mL, que já foi tradicional. Mas essa opção não aparece em lugar algum do cardápio, e poucos clientes sabem de sua existência.

A opção short é a xícara de café com maior desconto na rede Starbuks. Embora um cappuccino short seja vendido por aproximadamente

US$0,30 a menos que a opção tall nos Estados Unidos, ele contém a mesma quantidade de café expresso; por conter menos espuma de leite, seu sabor é mais acentuado do que o sabor preferido pela maioria dos apreciadores de café.

A maneira clandestina pela qual a rede vende a opção short torna esse tamanho uma forma de barreira discriminatória do preço. A barreira que impede os consumidores menos sensíveis ao preço de comprarem a opção com desconto é o fato de a maioria simplesmente ignorar que ela existe. Na maioria dos mercados, esses consumidores dedicam mais esforço que os outros a procurar as melhores ofertas. Se você fosse um comprador sensível ao preço, provavelmente pelo menos um de seus amigos teria descoberto o tamanho short da rede Starbucks e teria falado com você dessa opção. Nesse ínterim, os compradores menos sensíveis ao preço continuarão satisfeitos com seus cafés venti, de 600mL.

NEM TODOS OS EXEMPLOS de discriminação de preços envolvem barreiras nos descontos. Por exemplo, quando um restaurante oferece refeições pela metade do preço a clientes com mais de 65 anos, não há barreira que o cliente de 35 anos possa superar para fazer jus ao desconto. Os economistas geralmente se referem a esse tipo de diferencial de preço como pura segmentação de mercado, motivada, no exemplo, pelo fato de os idosos terem renda mais baixa, em média, que a de outros adultos.

Por que as passagens de ida e volta de Kansas City para Orlando custam menos que as passagens de ida e volta de Orlando para Kansas City? *(Karen Hittle)*

Se você morasse em Kansas City, Missouri, e tivesse de voar para Orlando, na Flórida, com partida no dia 15 de dezembro de 2006 e retorno uma semana depois, a menor tarifa que poderia encontrar no site Expedia.com para um bilhete de ida e volta teria sido de US$240. Mas se você morasse em Orlando e quisesse voar para Kansas City, a menor tarifa na passagem de ida e volta para as mesmas datas teria sido de US$312. Os passageiros dos dois itinerários estariam viajando nos mesmos aviões, consumindo o mesmo combustível e desfrutando do mesmo serviço de bordo (ou da falta dele). Nesse caso, por que as tarifas eram tão diferentes?

Se você viaja de Kansas City para Orlando, provavelmente estará em férias. Você poderia ir a muitos outros lugares — Havaí, Barbados ou Cancún, para começar. Como os turistas podem escolher entre muitos destinos, as empresas aéreas precisam competir incessantemente pela preferência deles. Considerando-se a economia de custos proporcionada pelos aviões de maior porte, as empresas aéreas têm bons motivos para vender mais assentos por meio da oferta de preços mais baixos para as pessoas mais sensíveis ao preço, os turistas.

Porém, se você está partindo de Orlando para Kansas City, talvez seu motivo para viajar esteja associado aos negócios ou à família. Você, provavelmente, não está procurando um lugar para ir. Os compradores com menos alternativas tendem a ser menos sensíveis ao preço. É por essa razão que as viagens com partida de Orlando são mais caras.

Os próximos exemplos discutem condições que podem motivar os vendedores a oferecer mercadorias de graça, a preço reduzido ou com melhorias.

Por que tantos restaurantes oferecem reposição gratuita de bebidas? *(Mike Hedrick)*

Uma vez o falecido George Burns descreveu o proprietário de um negócio que afirmava perder dinheiro em cada unidade vendida, mas ganhar no volume. É claro que qualquer negócio que de fato seguisse essa prática não poderia esperar sobreviver por muito tempo. Portanto, o costume de completar a bebida do cliente sem cobrar pela reposição é um enigma. Como os restaurantes podem fazer essa oferta e não ter prejuízo?

A maioria das empresas vende muitos artigos. Para não fechar, uma empresa não precisa cobrar mais do que o custo de cada artigo individual que vende. Pelo contrário, sua receita total deve igualar ou superar o custo total das mercadorias vendidas. Portanto, se o preço das entradas, sobremesas e outros itens incluir uma margem de lucro suficiente, o restaurante pode oferecer reposição gratuita das bebidas e, ainda assim, não ter prejuízo.

Mas por que um restaurante iria *querer* oferecer bebidas de graça? Aparentemente, a prática parece inconsistente com a lógica da concorrência perfeita, segundo a qual os indivíduos pagarão o custo total de qualquer artigo ou serviço adicional que adquirirem.

No entanto, a concorrência nunca é perfeita. No ramo dos restaurantes, como em muitos outros, o custo médio por cliente servido diminui com o aumento do número de clientes. Isso significa que o custo médio da refeição servida por um restaurante é maior que o custo marginal da refeição. Como o preço cobrado pelo restaurante por refeição deve ser maior que o custo marginal daquela refeição, qualquer restaurante pode aumentar o lucro se conseguir atrair mais clientes.

Imagine uma situação inicial em que nenhum restaurante fornecesse bebidas de graça. Se apenas um restaurante fizesse essa oferta, o que aconteceria? Os clientes que pedissem mais bebida naquele restaurante sentiriam que estavam sendo favorecidos. A notícia se espalharia e em pouco tempo o restaurante teria muito mais clientes que antes. Embora tivesse de arcar com o custo de cada reposição de bebida, esse custo seria extremamente pequeno.

Para que a oferta fosse bem-sucedida, o lucro do restaurante com as refeições a mais que venderia teria de exceder o custo das reposições gratuitas que estaria servindo. E como a margem de lucro do restaurante nas refeições adicionais é maior do que o custo incorrido por conta de cada reposição, o lucro global aumentaria.

Ao verem o sucesso desse restaurante com a oferta de reposição gratuita, os concorrentes começariam a seguir a prática e, à medida que fizessem isso, a clientela adicional do primeiro restaurante diminuiria. Se todos os restaurantes fizessem a mesma oferta, o volume de negócios de cada restaurante seria pouco diferente do que se nenhum deles oferecesse reposição gratuita. E como as margens de lucro no ramo de restaurantes são tradicionalmente pequenas, a oferta de reposição gratuita de bebidas pode ser um prenúncio de perdas para muitos deles.

Realmente haveria perda se o preço das refeições continuasse igual durante esse processo. Porém, graças à oferta de reposição gratuita de bebidas, os clientes receberão mais benefícios que antes, já que não pagam nada pela reposição de bebida pela qual anteriormente talvez tivessem de pagar vários dólares. Como os clientes receberão mais benefícios da experiência de fazer uma refeição, os restaurantes podem aumentar o preço das refeições. Quando a poeira assentar, espera-se que o valor das refeições tenha aumentado o suficiente para cobrir o custo das bebidas gratuitas.

Outro fator a ser levado em conta é que os restaurantes costumam cobrar em torno de R$4 por um chá gelado ou pelo refrigerante, que normalmente valem menos que isso. Para que o custo extra faça diferença, o cliente teria de beber um número prodigioso de reposições. Se apenas 10% dos clientes pedirem uma bebida, em vez de água, por causa da oferta de reposição gratuita, o restaurante, com certeza, terá lucro. De acordo com esse raciocínio, os restaurantes que servem refrigerantes e chá gelado enlatados provavelmente não oferecerão reposições gratuitas, o que de fato acontece. Mais uma vez, a exceção comprova a regra.

Por que os aparelhos de VHS têm tantos recursos, se o cidadão médio não usa a maioria deles mesmo em aparelhos muito simples? *(Deborah Bair)*

O típico comprador de um aparelho de VHS deseja uma máquina que permita à família ver filmes ou gravar os programas favoritos de televisão. Quase todos os modelos à venda atualmente dispõem desses recursos. Mas eles também têm uma lista atordoante de recursos adicionais que a maioria dos consumidores nunca utiliza. Muitas máquinas, por exemplo, incluem automaticamente no controle do VHS, no início de cada programa gravado, um sinal que permite ao usuário "ter acesso a cada programa pressionando as teclas 1–9 correspondentes no controle remoto". E agora a maioria dos modelos oferece instruções de programação em inglês, espanhol ou francês. Embora muitas dessas características sejam inegavelmente úteis, alguns compradores se queixam de que as máquinas são tão complicadas que sua utilização se torna difícil. Por que os fabricantes não fazem aparelhos mais baratos e simples para atender a esses compradores?

Embora alguns consumidores não valorizem os recursos técnicos adicionais de seus aparelhos de VHS, muitos outros dão valor a eles. Os fabricantes os incluem como forma de competir com mais eficiência pelos consumidores desse segundo grupo. Os custos de adicionar características novas são quase sempre fixos, decorrentes de pesquisa e desenvolvimento. Uma vez realizados esses gastos, em geral o custo marginal de adicionar aquela característica a uma máquina é baixo.

É claro que seria possível aos fabricantes oferecer um grande número de aparelhos diferentes, cada um com um nível diferente de recursos técnicos. Mas a maioria dos vendedores tem pouco interesse em manter tantas máquinas em estoque. De qualquer forma, como o custo marginal de produzir a máquina mais simples é apenas um pouco menor que o de produzir um aparelho mais avançado, os consumidores economizariam pouco se comprassem o equipamento mais simples. Portanto, os fabricantes preferiram incluir recursos técnicos avançados em quase todas as máquinas que produzem.

Os consumidores que desejam um equipamento mais simples terão de esperar que, em breve, os fabricantes acrescentem uma nova característica: um botão que desabilite, ou pelo menos oculte, todos os recursos, exceto os mais básicos.

Por que as empresas aéreas econômicas cobram as refeições servidas a bordo (que são gratuitas nas empresas de luxo), enquanto os hotéis de luxo cobram pelo acesso à internet (que costuma ser gratuito nos hotéis econômicos)? *(Jia Dai)*

O serviço de bordo gratuito, que já foi norma em quase todas as empresas aéreas, agora é regularmente oferecido apenas pelas empresas aéreas mais caras, como a Singapore Airlines. Os passageiros que viajam pela United ou American agora devem trazer a própria comida ou comprar as refeições a bordo. Por outro lado, hotéis de luxo como o Four Seasons costumam cobrar por dia US$10 ou mais pelo acesso à internet no quarto, enquanto os hotéis econômicos como o Hampton Inn oferecem rotineiramente o mesmo serviço de graça. Qual a razão dessa diferença?

Em um mercado perfeitamente competitivo, segundo o princípio de não deixar de ganhar dinheiro, os consumidores que optam por serviços adicionais devem pagar mais por conta deles. A lógica é a seguinte: se uma empresa tentar oferecer um serviço adicional "de graça", incluindo-o no preço do produto básico, um concorrente poderá atrair os clientes que não desejam aquele serviço baixando o preço do produto básico e cobrando separadamente pelo serviço adicional.

Na prática, é claro, nenhum mercado é perfeitamente competitivo. Mas o mercado de passagens aéreas econômicas está mais perto de ser perfeitamente competitivo que o mercado de passagens aéreas em empresas de luxo. Essas últimas são menos numerosas e oferecem serviços mais especializados. Por razões similares, o mercado de acomodações em hotéis econômicos tende a ser mais perfeitamente competitivo que o mercado de acomodações em hotéis de luxo. Essas observações parecem indicar maior probabilidade de que os serviços adicionais sejam cobrados separadamente tanto nos hotéis econômicos quanto nas empresas aéreas econômicas. Portanto, o princípio de não deixar de ganhar dinheiro pode explicar por que as empresas aéreas e econômicas cobram por refeições, enquanto as empresas de luxo as incluem no preço básico. Ele também explica por que no passado a maioria das empresas aéreas oferecia refeições de graça, já que até recentemente todo o mercado de viagens aéreas era de luxo. No entanto, à primeira vista, o princípio de "não deixar dinheiro solto na mesa" parece incompatível com os padrões de precificação antagônicos que observamos no caso do acesso à internet nos hotéis.

Uma conjectura plausível é que essa reversão seja causada por uma diferença na estrutura dos custos de prover esses dois serviços. O custo do serviço de bufê aumenta aproximadamente na razão direta do número de refeições servidas. Mas o custo de prover acesso à internet é principalmente fixo. Uma vez que o hotel tenha instalado uma rede de acesso à internet, o custo marginal de permitir o uso por mais um hóspede é literalmente nulo.

O princípio de "não deixar dinheiro solto na mesa" nos diz que, quanto mais competitivo for o mercado de um bem ou serviço, mais o preço irá se aproximar do custo marginal. Portanto, se o mercado de acomodações em hotéis econômicos for de fato mais competitivo que o mercado de acomodações em hotéis de luxo, segue-se que há mais probabilidade de incluir o acesso à internet no preço do quarto no hotel econômico. Talvez esses hotéis desejassem cobrar um adicional pelo acesso à internet, mas como o custo marginal de prover esse recurso é nulo, alguns hotéis econômicos, com certeza, iriam oferecê-lo de graça. Os viajantes sensíveis ao preço seriam atraídos por essa oferta, o que forçaria os outros hotéis econômicos a proceder da mesma forma. As empresas aéreas não sofrem pressões similares para fornecer refeições gratuitas porque o custo marginal de cada refeição servida é positivo.

Os hotéis de luxo podem cobrar pelo acesso à internet porque sua clientela costuma ser afluente ou viajar com despesas pagas, não tendo, portanto, muita sensibilidade ao preço. Apesar disso, se um número suficiente de hóspedes se queixar dessa prática, o fato de que o custo marginal de prover acesso à internet é nulo leva a crer que alguns hotéis de luxo podem começar a incluir esse recurso em suas tarifas. Se isso acontecer, outros hotéis da mesma categoria serão pressionados a fazer o mesmo.

Nos dois próximos exemplos os vendedores parecem ter o poder de cobrar preços mais altos ou de impor penalidades em caso de cancelamento, porém, por razões estratégicas, preferem não lançar mão desse poder.

Por que tantos parques de diversões não cobram um valor maior pelo uso dos brinquedos mais procurados, embora sempre haja longas filas de espera por eles?

No dia 1º de janeiro de 2006 O Disney World em Orlando, na Flórida, cobrava US$55,16 por um passe infantil que dava acesso ilimitado aos brinquedos do parque durante um dia. Para ser mais exato, o acesso é ilimitado apenas em um sentido restrito: as crianças podem utilizar quantas vezes desejarem qualquer brinquedo, mas para os brinquedos mais populares quase sempre há uma longa fila. Nos períodos de maior frequência, por exemplo, uma volta no Space Mountain, a atração mais apreciada do parque, pode exigir uma espera de mais de uma hora. Por que a Disney não cobra uma sobretaxa no ingresso para os brinquedos mais procurados?

Por si, as filas de espera não são necessariamente uma prova de que os vendedores estão deixando de ganhar dinheiro. Por exemplo, o número de clientes que deseja jantar em um restaurante em determinada noite é muito variável, o que dificulta estabelecer preços que permitam lotar a casa todas as noites sem que se formem filas de espera. O que os economistas geralmente não esperam ver, porém, são filas persistentes e previsíveis como as que acontecem no Disney World.

Uma explicação possível é sugerida pelo fato de que os pais, e não os filhos, pagam pelos passeios no parque da Disney. Imaginemos o que seria um dia no parque se fosse estabelecida para cada volta no Space Mountain uma taxa adicional que permitisse eliminar filas de espera — digamos US$10 por volta. Muitas crianças ainda desejariam dar várias voltas na atração, e agora seria possível fazê-lo. Em pouco tempo, a maioria dos pais teria de dizer não várias vezes. É possível imaginar que a família não levaria lembranças agradáveis do lugar.

Ao cobrar uma taxa única e usar as filas para racionar o acesso às atrações mais procuradas, a gerência da Disney pode ter encontrado a melhor fórmula conciliatória.

Por que as locadoras de automóveis não cobram multas quando se cancela uma reserva no último momento, ao passo que os hotéis e empresas aéreas cobram multas significativas no mesmo caso?

Quando compramos um ingresso para o teatro e perdemos o espetáculo por causa de um engarrafamento, não temos direito a reembolso. O mesmo ocorre com as passagens aéreas. Se não chegarmos a tempo para o voo, o bilhete perde o valor. Na melhor das hipóteses, a empresa aerea cobrará uma multa pesada de cancelamento. Da mesma forma, a maioria dos hotéis cobrará uma diária se a reserva for cancelada depois das 18h do dia previsto para a chegada. No entanto, as locadoras de automóveis adotam uma prática completamente diferente. Não é necessário fornecer o número do cartão de crédito quando se reserva um automóvel de aluguel. Se o cliente não aparecer para buscar o carro, não haverá qualquer penalidade. Qual a razão dessa diferença?

As locadoras de automóveis, como todos os vendedores, querem manter a clientela satisfeita. Os clientes não gostam de multas por cancelamento, e uma locadora de automóveis que não cobre multas terá vantagem competitiva sobre todas as locadoras que o façam. É claro que as empresas aéreas e os hotéis teriam os mesmos motivos para evitar multas de cancelamento. Presumivelmente, essas taxas são cobradas porque o custo de permitir aos clientes cancelar reservas no último momento sem pagar multas seria alto. As empresas aéreas teriam muito mais lugares vazios em cada voo e os hotéis teriam muito mais quartos vazios. Em ambos os casos, seria necessário cobrar tarifas substancialmente mais altas para não ter prejuízo.

Em tese, as locadoras de automóveis devem enfrentar a mesma pressão. Talvez elas não cobrem multas por cancelamento pelo fato de que, em geral, a locação de automóveis é imediatamente precedida por uma transação com uma empresa aérea e imediatamente seguida por uma transação com um hotel. Como os hotéis e as empresas aéreas cobram multas de cancelamento, o típico cliente de locadora de automóveis tem uma razão muito forte para aparecer na hora certa na locadora, embora não tenha de pagar multa. Dessa forma, as locadoras de automóveis são capazes de evitar alienar clientes forçados a cancelar a reserva do automóvel: a política de cancelamento dos hotéis e das empresas aéreas garante que esses clientes sejam escassos.

5

Corridas armamentistas e a tragédia dos comuns

A mão invisível de Adam Smith é uma das teorias mais famosas da economia. Smith foi o primeiro a ver claramente como, nos mercados, a busca por atender a interesses individuais costuma promover o bem maior para todos. Por exemplo, na esperança de ter lucros maiores, os produtores adotam inovações que reduzem o custo dos produtos, apenas para descobrir que, quando a concorrência faz o mesmo, em última análise, quem colhe os benefícios são os consumidores, que pagam preços mais baixos.

Ao contrário de muitos economistas modernos que glorificam a mão invisível, Smith não abrigava a ilusão de que a concorrência ilimitada sempre resulta no maior bem para todos. Em *A riqueza das nações*, por exemplo, ele apresenta um juízo mais limitado sobre as consequências do comportamento egoísta do dono do negócio: "Ao buscar o próprio interesse, ele *frequentemente* promove o interesse da sociedade com mais eficácia do que quando realmente pretende promovê-lo." (O itálico é meu.)

Coube a Charles Darwin — o pai da biologia da evolução, um homem fortemente influenciado pelos escritos de Adam Smith, Thomas Malthus e outros economistas — identificar o conflito profundo e amplo entre os interesses individuais e os coletivos. A principal afirmativa de Darwin era que a seleção natural favorece traços e comportamentos que aumentam o sucesso reprodutivo individual. Se esses traços e comportamentos atendem a algum objetivo de valor para a espécie como um todo é irrelevante. Alguns atributos, como a inteligência, não contribuem apenas para o sucesso reprodutivo individual, mas também atendem aos interesses mais amplos da espécie. Já outros traços favorecem os interesses individuais, mas só prejudicam a coletividade. As galhadas prodigiosas do alce macho são uma ilustração clara desse último fato.

Tal como os elefantes-marinhos e os machos da maioria das espécies políginas, os alces machos combatem pelo acesso às fêmeas. As galhadas são as principais armas nesses combates e um alce que tenha galhadas maiores que as do rival tem mais probabilidade de vencer. Portanto, os alces com galhadura maior conseguem mais parceiras, o que faz com que seus genes apareçam com mais frequência na próxima geração. Dessa forma, os chifres se transformam no foco de uma corrida armamentista evolutiva.

Embora as grandes galhadas ajudem a ganhar o acesso às fêmeas, também dificultam escapar de lobos e outros predadores nas áreas de mata cerrada. Desse modo, os alces teriam bons motivos para preferir que o conjunto de chifres de cada animal fosse reduzido à metade. Afinal, o que faz diferença no duelo é o tamanho relativo das galhadas. Portanto, se elas fossem menores em todos os machos, os combates seriam resolvidos da mesma forma, porém cada animal estaria mais protegido dos predadores.

Por ser a fonte do problema, a seleção natural não pode ser sua solução. É verdade que um alce mutante com galhadas menores teria uma imunidade relativa contra os predadores, mas não seria capaz de conquistar um harém. Portanto, as cópias de seus genes não passariam para a próxima geração, a única recompensa relevante no esquema darwiniano.

Galhadas muito grandes pertencem a uma classe de atributos que podemos classificar como boas para um, mas prejudiciais para todos. Na vida diária, vemos muitos exemplos dessa situação. O princípio do custo-benefício mostra que os indivíduos partem para a ação quando os benefícios pessoais são maiores que os custos pessoais. Se o indivíduo decide colher todos os benefícios e arcar com todos os custos associados à ação, temos a mão invisível de Adam Smith. Contudo, muitas ações individuais geram benefícios ou custos que afetam terceiros.

Por exemplo, quando numa plateia alguém se levanta para ver melhor, essa pessoa passa a bloquear a visão dos que estão atrás. Da mesma forma, quando mais barcos de pesca vão para o mar, diminui a quantidade de peixes pescados pelos barcos já existentes. Nesses casos, a mão invisível tende a se quebrar. Todos se levantam para ver melhor, mas ninguém vê melhor do que se todos tivessem permanecido sentados. Se todos os pescadores forem pescar sempre que o valor líquido do que eles esperam capturar exceder o custo de oportunidade do tempo e de outras despesas, o resultado é a pesca indiscriminada, uma "tragédia dos comuns".

Neste capítulo veremos que a divergência entre os interesses individuais e os interesses sociais nos ajuda a responder a uma quantidade de perguntas fascinantes.

Por que os médicos costumam prescrever antibióticos excessivamente? *(Fred Heberle)*

Quando o paciente se queixa de infecções menores nos ouvidos ou no trato respiratório, muitos médicos prescrevem antibióticos. Se a infecção for causada por bactérias (e não por vírus), o tratamento com antibióticos provavelmente acelerará a recuperação. No entanto, toda vez que um paciente toma antibióticos há um pequeno risco de que surja uma cepa resistente de bactérias. Por essa razão, os responsáveis pela saúde pública pedem aos médicos que só indiquem antibióticos em caso de infecções mais graves. Por que tantos médicos continuam a prescrevê-los em casos menos graves?

A maioria dos médicos compreende que a resistência a um medicamento surge rápida e seguramente quando antibióticos são prescritos de forma indiscriminada. Por exemplo, em 1947 descobriu-se uma cepa de estafilococo (*Staphylococcus aureus*) resistente à penicilina apenas quatro anos após o antibiótico começar a ser amplamente utilizado. A maioria dos médicos também sabe que as bactérias resistentes a antibióticos podem causar problemas sérios. Quando surgiu o *Staphylococcus aureus* resistente, os médicos começaram a tratá-lo com outro antibiótico, a meticilina, mas a estratégia só funcionou por algum tempo. As bactérias resistentes à meticilina (MRSA) foram descobertas em 1961, no Reino Unido, e agora são ocorrência comum em hospitais em toda parte. No Reino Unido, as infecções por MRSA responderam em 1999 por 37% dos casos fatais de sangue contaminado, em comparação com apenas 4% em 1996.

Tal como a pesca predatória nos oceanos, a prescrição indiscriminada de antibióticos é uma tragédia dos comuns. Assim como a quantidade pescada por um indivíduo não consegue, por si só, ameaçar a população de peixes, uma única prescrição de antibióticos não pode produzir bactérias resistentes letais. No entanto, toda vez que um antibiótico é prescrito, pelo menos algumas das bactérias que causaram a infecção no paciente podem sobreviver. Numa colônia, cada célula bacteriana é diferente e aquelas com maior probabilidade de sobreviver ao tratamento com antibióticos infelizmente não são uma amostra aleatória da colônia original. Pelo contrário, a estrutura genética dessas bactérias era menos vulnerável à droga. Essas sobreviventes ainda podem ser suscetíveis a doses mais elevadas do medicamento, mas, com o tempo, à medida que as mutações sucessivas se acumulam, a resistência à droga nas bactérias sobreviventes se torna mais poderosa.

O dilema dos médicos é que os pacientes desejam antibióticos na crença de que tomá-los acelerará a cura. Alguns médicos se recusam a tratar as infecções menos graves dessa forma, mas outros cedem, sabendo que os pacientes podem procurar outros médicos se eles não o fizerem. O órgão de saúde pública Centers for Disease Control estima que aproximadamente um terço das 150 milhões de prescrições anuais de antibióticos seja desnecessária.

Talvez seja mais fácil para o médico acatar o pedido do paciente por saber que nenhuma prescrição individual causará o aparecimento de uma cepa resistente. Infelizmente, o efeito agregado é que essas decisões garantem o surgimento de bactérias mais virulentas.

Por que as mulheres toleram o desconforto de usar saltos altos? *(Digby Lock)*

Saltos altos são desconfortáveis e dificultam o caminhar. O uso prolongado pode prejudicar os pés, os joelhos e a coluna. Por que as mulheres continuam a usá-los?

Aparentemente, a resposta sucinta parece ser que mulheres de salto atraem mais atenção positiva. Em *Razão e sensibilidade*, Jane Austen descreve o personagem Elinor Dashwood como possuidora de "pele fina, traços regulares e... uma silhueta muito elegante". Mas Austen descreve a irmã de Elinor, Marianne, como "ainda mais bonita. Sua forma, embora não tão correta quanto a da irmã, por ser alta, era mais notável". Além de tornar uma mulher mais alta, os saltos forçam a curvatura das costas, deslocando o peito para a frente e os quadris para trás, acentuando a forma feminina. "Os homens gostam de uma figura feminina exagerada", escreve a historiadora de moda Caroline Cox.

O problema é que, se todas as mulheres usarem saltos, essas vantagens tenderão a se cancelar. Afinal, a estatura é um fenômeno relativo. Pode ser uma vantagem ser vários centímetros mais alta que as outras, ou pelo menos não ser alguns centímetros menor. Porém, quando todas usam calçados que acrescentam vários centímetros, a distribuição relativa de alturas deixa de ser afetada, de modo que ninguém parecerá maior do que se todas usarem sapatos baixos. Se as mulheres pudessem decidir coletivamente que tipo de calçados usar, todas concordariam em abandonar os saltos altos. Mas, como uma delas pode ficar em situação vantajosa se usá-los, seria difícil manter um acordo desse tipo.

No namoro, assim como nos esportes, ser mais alto é vantajoso.

Por que mesmo em cidades pequenas tantos supermercados ficam abertos 24 horas por dia?

Ithaca, uma cidade com 30 mil habitantes situada a noroeste de Nova York, tem cinco mercados que ficam abertos durante toda a noite. Compradores que cheguem a um deles às 4h quase sempre serão as únicas pessoas na loja além dos empregados. Os custos de manter uma loja aberta durante toda a noite não são altos, mas também não são insignificantes. As contas de aquecimento, condicionamento do ar e iluminação serão mais altas do que se as lojas ficassem fechadas entre meia-noite e 6h. Caixas, estoquistas e pessoal de segurança do turno da noite recebem salários mais altos. Visto que esses custos quase certamente são maiores que os lucros das vendas da madrugada, por que essas lojas ficam abertas durante toda a noite?

Diversos fatores influenciam as decisões dos consumidores sobre onde comprar gêneros alimentícios. Entre eles, estão o preço, a variedade, a localização e o horário. A maioria dos consumidores seleciona a loja que atende melhor a suas preferências e irá fazer lá a maior parte de suas compras. Uma vez tendo aprendido a localização dos artigos na loja, por que gastar tempo tentando encontrá-los em outro lugar? Dessa forma, as lojas têm excelentes razões para desejar ser a primeira opção do maior número possível de consumidores.

Os preços e a variedade dos estoques costumam variar pouco de uma loja para outra, mas, quando diferem, esses fatores podem ser decisivos para alguns fregueses. É pouco provável que alguém compre regularmente numa loja fora de seu caminho, mas a localização não deve ser fator crucial para moradores motorizados em cidades pequenas. Portanto, suponha que todos os supermercados fiquem fechados entre as 23h e as 7h. Se uma loja postergasse a hora do fechamento para meia-noite, ela passaria a ser o estabelecimento com horários mais convenientes. Até os consumidores que raramente fazem compras entre as 23h e a meia-noite teriam razão para escolhê-la como seu fornecedor preferencial: a capacidade de encontrar com facilidade os artigos quando fosse preciso fazer compras no fim da noite. Embora um supermercado talvez atraia apenas alguns compradores durante essa hora extra entre 23h e meia-noite, manter horários convenientes induzirá muitos compradores a escolhê-la como sua loja preferencial.

Melhor do que ver seus clientes regulares se afastarem, os supermercados concorrentes teriam um sólido motivo para prolongar o horário. Entretanto, outras lojas poderiam ganhar terreno mudando a hora de fechamento para 1h. Se não for caro demais manter abertas por mais uma hora lojas basicamente vazias, o único resultado estável seria a maioria das principais lojas ficar aberta durante toda a noite. Aparentemente, isso aconteceu em Ithaca.

Como muitos dos supermercados da cidade permanecem abertos a noite toda, os novos moradores já não decidem onde comprar com base no horário. Assim, os supermercados continuam a concorrer em função de outras características. Por exemplo, um deles é conhecido por ter a melhor padaria, outro por ter a melhor seleção de ingredientes internacionais. No entanto, nenhum deles parece decidido a voltar a fechar durante a noite.

Nem sempre as lojas de gêneros alimentícios permaneceram abertas durante toda a noite em Ithaca, e há cidades do mesmo tamanho que não têm lojas abertas durante a noite. Portanto, embora a dinâmica da concorrência descrita pareça uma explicação plausível para naquela cidade as lojas ficarem abertas durante toda a noite, ela claramente não explica a distribuição temporal ou geográfica desse fenômeno.

Por que nos Estados Unidos o comércio coloca decorações de Natal à venda no mês de setembro? *(Melissa Moore, Eric Sass)*

Embora nos Estados Unidos a temporada de compras de final de ano só comece "oficialmente" na sexta-feira depois do Dia de Ação de Graças, no final de novembro, já no mês de setembro algumas lojas começam a expor árvores artificiais e guirlandas natalinas. Essa oferta prematura de artigos de Natal tem um custo de oportunidade, já que as prateleiras ocupadas com mercadorias natalinas não podem expor outros artigos. Como consequência, há redução na venda de outras mercadorias. Como a quantidade total de dinheiro despendida pelos compradores em artigos para as festas de fim de ano independe da duração da temporada, por que os lojistas estão colocando essas mercadorias à venda tão cedo?

As festas de fim de ano respondem por aproximadamente 40% do volume anual de vendas no varejo e por quase 25% dos lucros anuais do varejo. Se a maioria dos comerciantes esperasse pela sexta-feira depois do Dia de Ação de Graças para expor as guirlandas de Natal, qualquer lojista poderia ficar em situação vantajosa se as expusesse antes — digamos, na sexta-feira anterior ao Dia de Ação de Graças. Isso não aumentaria o número total de guirlandas vendidas, mas roubaria vendas dos outros comerciantes.

Em defesa própria, os outros lojistas também passariam a expor a mercadoria mais cedo, e criariam as condições para que a data de início das vendas fosse ainda mais prematura. Como o mercado varejista se tornou mais competitivo nos últimos anos, em muitas regiões a data de início não oficial da venda das mercadorias de final de ano agora é logo na primeira semana de setembro.

Será que, com o tempo, veremos a venda de artigos natalinos durante todo o ano — assim como vimos os supermercados abertos 24 horas por dia? É possível, mas improvável. Os supermercados ficam abertos durante toda a noite porque o custo de ficar aberto por mais uma hora é reduzido. No entanto, usar o espaço de prateleiras com mercadoria de final de ano significa não poder usá-lo para outras mercadorias, e além de certo ponto o custo de oportunidade cresce muito. Os lojistas que não forem capazes de dar a seu limitado espaço de prateleiras fins mais lucrativos do que expor artigos natalinos no mês de março provavelmente não sobreviverão por muito tempo.

Por que as cerejas que crescem em árvores de parques públicos dos Estados Unidos e de algumas cidades da Europa são comidas "cedo demais"?

As cerejas, como todas as frutas, passam por um ciclo natural de maturação. Nos primeiros estágios, elas são muito ácidas, mas, à medida que o ciclo avança, seu teor de açúcar aumenta, o que as torna atraentes para muitos paladares. Os plantadores profissionais de cerejas planejam a colheita de modo que as frutas apareçam no supermercado perto do ponto mais alto do ciclo de maturação. Invariavelmente, porém, as cerejas das árvores que crescem nos parques públicos são colhidas tão ácidas que quase não estão comestíveis. Se as frutas ficassem na árvore por um pouco mais de tempo, seriam muito mais gostosas. Por que as pessoas não esperam?

Os plantadores profissionais de cerejas cultivam suas árvores em terrenos particulares e os invasores que colherem as frutas dali estarão sujeitos a sanções legais. Os plantadores não têm por que colher as frutas prematuramente. Afinal, os supermercados pagarão mais pelas frutas maduras, porque os consumidores finais pagam mais por elas.

No entanto, nos parques públicos, os incentivos são diferentes, pois qualquer um pode colher as cerejas. Embora todo mundo ganhasse se as frutas pudessem amadurecer, quem esperasse por isso não encontraria cereja alguma.

As cerejas que crescem nos parques públicos começam a desaparecer assim que ficam bastante maduras para que comê-las seja melhor do que não comer nada. Nesse estágio, elas não dão muito prazer. Mas, como não se pode evitar que outras pessoas as colham, a chance de encontrar cerejas maduras é escassa.

Por que a prática de dividir a conta faz as pessoas gastarem mais no restaurante?

Quando amigos fazem uma refeição juntos num restaurante, em geral dividem a conta por igual. Para o pessoal do restaurante, essa prática é mais simples do que preparar uma conta para cada comensal. Também é muito mais fácil do que tentar controlar todos os pedidos e calcular a contribuição correspondente a cada um. No entanto, muitos fazem objeção a essa prática porque aqueles que fazem pedidos mais baratos são obrigados a pagar mais que o custo do que comeram e beberam. No entanto, há outra consequência desagradável da divisão da conta: ela estimula todos a gastarem mais do que se estivessem pagando em separado. Por que dividir a conta tem esse efeito?

Imaginemos que um grupo de dez amigos tenha combinado dividir em partes iguais a conta do restaurante. Suponhamos que um membro do grupo tenha decidido pedir a porção normal de costela na brasa, cujo preço de tabela é R$40, mas cuja porção grande custa R$60. Imaginemos ainda que o benefício de pedir uma porção grande valha para ele R$10. Se estivesse sozinho, ele pediria a porção normal porque o benefício adicional de R$10 correspondente à porção grande é menor que o custo adicional de R$20. No entanto, como o grupo combinou dividir a conta em partes iguais, pedir a porção maior fará sua participação na divisão aumentar apenas R$2 (um décimo dos R$20 a mais pela porção grande). Como o valor da porção grande para ele é R$10, ele irá pedi-la.

Os economistas consideram essas decisões ineficientes porque o ganho líquido de R$8 auferido pelo comensal que pediu a porção grande (igual ao valor de R$10 que ele atribui àquela porção menos o valor extra que ele terá de pagar por ela) é menor que a perda líquida imposta ao restante do grupo (o aumento de R$18 no valor total a pagar causado pelo pedido de uma porção grande feito por um dos amigos).

Embora a prática de dividir a conta seja injusta e ineficiente, parece que não está em vias de desaparecer. As perdas envolvidas em geral são pequenas, e esse procedimento torna a transação mais cômoda.

Por que um acidente numa das mãos de uma rodovia provoca engarrafamento na mão oposta? *(Thomas Schelling)*

Quando ocorre um acidente em uma das pistas que vão para o norte em uma rodovia, é fácil ver por que o trânsito fica retido naquele lado da estrada. Os automóveis acidentados, as ambulâncias e os carros de polícia geralmente causam horas de engarrafamento nas pistas que vão para o norte. Mas por que o acidente causa engarrafamento — às vezes de quilômetros — nas pistas que vão para o sul?

Quando se aproximam do local do acidente, os motoristas que vão para o sul fazem um cálculo simples de custo-benefício. O custo de reduzir a velocidade para ver melhor o acidente é um atraso de vários segundos. O benefício é que, ao fazê-lo, eles terão a curiosidade satisfeita. A julgar pelo comportamento da maioria dos motoristas, o benefício parece exceder o custo. O que eles não levam em conta, naturalmente, é que a decisão de reduzir a velocidade durante vários segundos também resulta em vários segundos de atraso para centenas de milhares de motoristas que vêm atrás. Portanto, o custo agregado de ver melhor um acidente pode ser um atraso de mais de uma hora por motorista.

Pode parecer improvável que muitos motoristas estejam dispostos a tolerar um atraso de uma hora apenas para ver melhor um acidente. Se os motoristas pudessem chegar a um acordo nessa questão, provavelmente decidiriam não reduzir a velocidade. Porém, essa decisão é tomada

O preço da curiosidade: vale a pena o atraso?

individualmente, quando cada um chega ao local do acidente. Naquele momento, já tendo pagado o preço da curiosidade, a maioria dos motoristas — mesmo os que estão com pressa — opta por pisar no freio.

Os ÚLTIMOS EXEMPLOS deste capítulo mostram que, quando os interesses individuais e coletivos não coincidem, os indivíduos podem tomar várias providências para harmonizá-los.

Por que os jogadores de hóquei votam unanimemente a favor de regras que os obrigam ao uso de capacetes, embora, quando por conta própria, quase sempre patinem sem essa proteção? *(Thomas Schelling)*

Ao patinar sem capacete, o jogador aumenta a chance de vitória de seu time, talvez porque possa ver e ouvir um pouco melhor ou porque seja capaz de intimidar com mais eficiência os oponentes. O problema é que isso também aumenta o risco de acidentes. Se valorizar mais as chances de vitória do que o aumento de segurança, o jogador dispensará o capacete. No entanto, quando os outros inevitavelmente fizerem o mesmo, o equilíbrio da competição será restaurado — todo mundo correrá mais risco e ninguém será beneficiado. Por isso as regras de uso do capacete são tão atraentes.

Por que tantas escolas exigem dos estudantes o uso de uniformes?

Muitas pessoas consideram um direito fundamental à liberdade o ato de vestir-se como quiser. No entanto, quando se tornam pais de crianças em idade escolar, muitas dessas mesmas pessoas passam a preferir escolas que exigem dos estudantes o uso de uniformes. Por que as escolas impõem essas exigências e por que tantos pais estão de acordo com elas?

Quando têm liberdade de escolher o que vestir, os alunos precisam levar em conta as mensagens implícitas sobre si mesmos que passarão aos outros. Por exemplo, uma estudante que queira parecer ousada talvez prefira roupas ostensivamente audaciosas. Quem quiser parecer bem-sucedido e poderoso desejará usar roupas com evidente qualidade. No entanto, termos como "ousada" e "qualidade" são intrinsecamente relativos. Se muitos estudantes começarem a usar trajes que superam as normas que definem essas qualidades, as próprias normas mudarão. Tal como no caso das galhadas do alce macho, é possível que isso resulte numa custosa corrida armamentista.

A evidente desvantagem de exigir uniformes escolares é limitar a capacidade de expressão dos estudantes. A vantagem é reduzir os custos, tanto monetários quanto emocionais, de uma corrida armamentista do vestuário.

Por que tantas escolas do ensino médio abandonaram a prática de indicar um orador?

Na maioria das cerimônias de formatura de escolas do ensino médio, o discurso de encerramento era tradicionalmente realizado pelo orador da turma — em geral, o aluno que tivesse a média mais alta. No entanto, nos últimos anos, muitas escolas abandonaram a prática de indicar um orador. O que motivou essa atitude?

A concorrência pelo acesso às universidades de elite aumentou. A New York University, por exemplo, recentemente admitiu apenas um de cada 14 candidatos. Nessas condições, os alunos do ensino médio enfrentam uma pressão nunca vista para alcançar excelentes resultados acadêmicos. Como poucas credenciais têm mais destaque do que a indicação para orador da turma de formandos, a concorrência por essa honra também aumentou. Os administradores de muitas escolas decidiram que a corrida pela posição de orador adquiriu uma importância desproporcional na vida dos melhores alunos, muitos dos quais começaram a sacrificar importantes experiências existenciais em troca da esperança de conseguir as melhores notas possíveis em todos os cursos. Ao desativar a prática de designar um orador, esses administradores esperam desarmar uma dispendiosa corrida armamentista posicional.

Por que os burocratas preferem a voz passiva? *(Alfred Kahn)*

Em 1977, Alfred Kahn, um ex-professor de economia da Cornell University foi designado pelo presidente Jimmy Carter para o cargo de diretor da Civil Aeronautics Board, a junta de aviação civil dos Estados Unidos. A CAB, hoje extinta, era a agência federal que regulava tarifas e cotas no setor de aviação civil. A missão de Kahn foi desregulamentar o setor e desativar a agência. Ao chegar a Washington, ele ficou surpreso ao descobrir que a maioria dos regulamentos emitidos pelo corpo jurídico da CAB era quase incompreensível. Eram comuns textos como:

> O portador [de um certificado da CAB] pode continuar a servir regularmente qualquer ponto neste mencionado por meio do aeroporto por último utilizado em caráter regular pelo portador para servir tal ponto previamente à data efetiva do certificado. Em conformidade com esses procedimentos também relaciona-

> dos, como pode ser prescrito pela Junta, o portador está autorizado a, além dos supracitados serviços expressamente prescritos, servir regularmente um ponto neste mencionado por meio de qualquer aeroporto a isto conveniente.

O primeiro memorando de Khan para sua equipe jurídica anunciava que ele rejeitaria qualquer documento que não fosse escrito em inglês corrente. "Leiam os documentos para suas esposas e filhos", ele lhes disse. "Se eles rirem, será preciso reescrever." Mas por que era tão difícil compreender esses documentos?

A tarefa de um agente regulador é controlar pessoas. Isso geralmente envolve dizer-lhes que elas não podem fazer o que querem. A maioria das pessoas não gosta de frustrar os desejos alheios. É compreensível que os burocratas queiram minimizar seu papel no processo. Por exemplo, em vez de dizer "Eu proíbo a United Airlines de voar entre San Diego e San Antonio", os reguladores talvez considerem mais confortável dizer algo como: "Foi determinado não ser de interesse público que a United Airlines continue a prestar serviços de transporte aéreo entre San Diego e San Antonio."

O edito de Kahn obteve ampla publicidade na época e foi objeto de aplauso irrestrito por parte dos fãs da linguagem clara. Como consequência, os documentos da CAB rapidamente se tornaram mais claros e concisos.

O novo modo de comunicação persistiu? Como a maioria dos advogados da CAB há muito tempo foi dispersa por outros empregos, ninguém sabe de fato, mas há razões para suspeitar do fato de que o linguajar simples não constitui um equilíbrio estável entre burocratas. Se o inglês claro se tornasse a norma nos Estados Unidos, seria do interesse de qualquer burocrata fazer um pequeno deslocamento em direção à ambiguidade, diminuindo, dessa forma, a visibilidade de seu papel na restrição ao comportamento de outros indivíduos. Uma mudança muito acentuada poderia atrair reprimendas, mas um pequeno deslocamento não chamaria muita atenção. À medida que outros burocratas fossem respondendo ao mesmo incentivo, os padrões de ambiguidade começariam a mudar. É fácil ver como, por meio de um processo gradual e paulatino, o resultado pode, mais uma vez, ser uma linguagem burocrática fatalmente ininteligível. Essa linguagem, provavelmente, persistiria até que surgisse outro líder determinado a exigir mais clareza.

6

O mito da propriedade

Os indivíduos criados nos países ocidentais industrializados de nossos dias costumam aceitar a ideia de que quem possui alguma coisa tem a liberdade de fazer dela o que quiser. E, dentro de limites razoavelmente amplos, essa visão é bastante acertada. Por exemplo, na maioria dos países, ter uma bicicleta implica o direito de usá-la à vontade, de impedir outros de usá-la e de vendê-la a quem se desejar.

O padrão de vida nos Estados Unidos e em muitas outras nações industrializadas aumentou mais de quarenta vezes desde o final do século XVIII, o que se deve, em grande parte, a sistemas de direitos de propriedade bem definidos e solidamente estabelecidos. Por outro lado, as sociedades que não têm tais sistemas dificilmente se tornam afluentes. Quando não podem estabelecer um direito legal claro sobre suas propriedades, os indivíduos têm pouco interesse em investir nos bens de capital que geram nova riqueza.

No entanto, embora o direito à propriedade privada crie benefícios imensos, ele também envolve custos. Definir e estabelecer direitos de propriedade sobre qualquer bem específico exige o dispêndio de recursos reais. Às vezes, os benefícios resultantes não valem a pena. Com um exame mais profundo, fica claro que o conceito de propriedade na verdade é altamente contestável. Este capítulo começa com exemplos que testam os limites de nossa compreensão sobre o significado de possuir alguma coisa.

Por que, às vezes, é ilegal que o dono de uma ilha impeça estranhos de usarem seu atracadouro?

Em 13 de novembro de 1904, vários membros da família Ploof estavam velejando no lago Champlain quando o tempo mudou. Em busca de abrigo, eles atracaram o veleiro num píer de propriedade de um homem chamado Putnam, que vivia numa casa em uma ilha do lago. Putnam mandou um empregado determinar aos Ploof que se afastassem do atracadouro. Eles obedeceram, e seu veleiro logo foi virado pela tempestade. Vários membros da família ficaram feridos, mas todos se salvaram. Mais tarde, os Ploof moveram uma ação contra Putnam e, em 1908, uma corte de Vermont decidiu a favor da família. Por que foi considerado ilegal que Putnam impedisse os Ploof de usar seu atracadouro?

As leis da propriedade privada dão aos proprietários considerável poder de decisão sobre como usar a propriedade, mas esse poder não é absoluto. A Corte de Vermont decidiu que o custo de negar refúgio aos Ploof em meio à tempestade ultrapassava qualquer benefício que Putnam pudesse obter com o controle completo sobre seu atracadouro.

Por que a lei contra a invasão da propriedade nos Estados Unidos é suspensa com frequência para propriedades na orla e à beira de lagos?

A população urbana não tem o direito legal de entrar na propriedade alheia só porque isso facilita seu acesso ao destino desejado. Para chegar a seus destinos os moradores das cidades precisam usar as calçadas e outras vias públicas de acesso. Em muitas jurisdições, porém, as propriedades localizadas na margem dos lagos e à beira do mar são governadas por regras diferentes. Por exemplo, se o morador de uma casa em frente a um lago desejar visitar amigos que vivem três casas depois, ele tem o direito legal de caminhar diretamente através das duas propriedades adjacentes, mesmo contra a vontade dos proprietários. Por que essa diferença?

Como ocorre com todos os dispositivos legais, as leis contra a invasão de propriedade envolvem custos e benefícios. Como, em geral, valorizam a privacidade e a segurança, os proprietários têm um ganho quando outros indivíduos são proibidos de passar por suas terras. Nesse processo, alguns indivíduos são impedidos de escolher as rotas mais cômodas para chegar a seus destinos. A magnitude desses custos e benefícios é variada em diferentes contextos.

Nas cidades, os benefícios da invasão de propriedade são menores (esquerda) do que nas orlas de mares e lagos (direita).

Na ilustração, suponhamos que no bairro urbano o proprietário da casa em A deseje visitar um amigo que vive na casa em D. É possível cortar caminho atravessando os quintais das casas em B e C. Se fosse impedido de cruzar essas propriedades, o morador teria a extensão de sua caminhada aumentada, mas não muito, já que existem à mão vias públicas com direito de passagem. Nessas circunstâncias, o valor da privacidade supera o valor de uma rota mais curta.

Suponhamos que as casas em questão se localizem ao longo da margem de um lago, como se vê na porção inferior direita do desenho. Se o morador da casa em A quiser visitar um amigo que vive na casa em D, terá de fazer apenas uma caminhada curta se for autorizado a cruzar os terrenos das casas em B e C. Porém, se for forçado a usar as vias públicas, ele terá de subir uma estrada íngreme com talvez 1,5km de extensão e dirigir para o norte uma distância similar antes de finalmente descer outra pista de acesso acidentada. Em muitos casos, o custo de uma trajetória como essa justifica renunciar à lei contra invasão de propriedade ao longo das orlas de lagos e mares.

Mas essa não pode ser a única explicação, já que as propriedades em orlas estão isentas das leis contra invasão de propriedade mesmo quando existem estradas próximas à beira d'água; além disso, essas leis se aplicam às propriedades interioranas, mesmo quando as estradas são distantes. A isenção para as propriedades das orlas também pode resultar do fato de que, historicamente, mares, rios e lagos sempre foram propriedade comum, aberta a todos. Essa abertura perderia o significado se não houvesse um direito de acesso correspondente. Nas épocas em que mais pessoas pescavam, esse direito de acesso era economicamente importante. Em lugares como o Maine, ele ainda o é, e os recém-chegados que tentam restringir o uso de suas praias causam polêmica na região.

Por que os indígenas que viviam no noroeste dos Estados Unidos e sudoeste do Canadá definiam e aplicavam leis de propriedade privada sobre a terra, enquanto os que viviam nas Grandes Planícies não faziam o mesmo?

Os recursos econômicos mais importantes para os indígenas norte-americanos que viviam nas Grandes Planícies eram as manadas de búfalos selvagens que habitavam a região. Como os búfalos se reúnem em grandes grupos que migram por centenas de quilômetros, estabelecer direitos de propriedade privada sobre a terra de pasto das manadas seria o mesmo que dividir as Grandes Planícies e construir com alto custo milhares de quilômetros de cercas. Como as manadas eram muito grandes em relação ao número de animais que os caçadores matavam a cada ano, os benefícios de manter esses direitos não justificavam os custos.

Por outro lado, os indígenas que viviam nos territórios do noroeste ganhavam a vida principalmente capturando em armadilhas pequenos animais, para obter carne e peles. Esses animais não costumam deslocar-se por grandes distâncias, mas passam toda a vida em áreas pequenas. Definir direitos de propriedade sobre a terra em que vivia cada família indígena era equivalente a conferir o direito de caça sobre os animais que habitavam aquela mesma área. Assim, o princípio do custo-benefício apresenta uma explicação parcimoniosa para o motivo pelo qual os dois grupos de indígenas norte-americanos adotavam abordagens tão distintas ao direito à propriedade privada.

Por que a lei concede o direito de propriedade sobre uma terra a quem a ocupou ilegalmente por pelo menos dez anos? *(Plana Lee)*

No estado de Nova York, quem ocupou continuamente por um período de dez anos a mesma propriedade pode requerer o direito legal sobre ela, mesmo que originalmente a propriedade tenha sido paga por outra pessoa. Por que a lei recompensa os invasores dessa maneira?

Variações dessa lei são descritas como direito de invasão ou lei de usucapião. Elas têm por base um raciocínio econômico simples — os interesses da comunidade não são bem atendidos se uma propriedade valiosa ficar ociosa. Os proprietários de imóveis potencialmente valiosos às vezes desaparecem sem deixar traços, não tendo nomeado herdeiros. Outros deixam propriedades abandonadas por períodos longos. Ao conceder direitos aos invasores, a lei motiva os proprietários a utilizarem bem a propriedade, ou a vendê-la. Quando estabelece um período de ocupação de dez anos ou mais, a lei de usucapião não representa grande ameaça aos interesses dos legítimos proprietários. Afinal, imóveis deixados ao abandono por períodos longos devem ter pouco valor econômico para seus titulares.

A DIFICULDADE DE FAZER VALER o direito de propriedade pode nos ajudar a compreender por que, em alguns casos, os recursos são administrados com mais eficiência que em outros.

Por que as baleias estão ameaçadas de extinção, mas as galinhas não?

Raramente se passa um ano inteiro sem alguma demonstração pública de ativistas ambientais denunciando a caça internacional que ameaça de extinção muitas espécies de mamíferos marinhos de grande porte. No entanto, que eu saiba, nunca houve uma demonstração exortando-nos a salvar as galinhas. Por que não?

A resposta mais simples é que as galinhas nunca foram uma espécie ameaçada. Mas isso só nos leva a perguntar por que uma espécie é ameaçada e outra não.

A população de baleias vem diminuindo porque ninguém é dono desses mamíferos. Eles nadam em águas internacionais e muitas nações se recusam a respeitar os tratados internacionais que tentam protegê-los.

Baleias e búfalos: algo em comum?

Os baleeiros japoneses e noruegueses compreendem muito bem que suas práticas atuais ameaçam a sobrevivência das baleias, e consequentemente o próprio meio de vida deles. Mas todo baleeiro também sabe que cada baleia que ele deixe de matar será caçada por alguém. Portanto, não há lucro algum em restringir a própria atividade.

Por outro lado, a maioria das galinhas do mundo é propriedade de alguém. Quem matar hoje uma de suas galinhas terá uma galinha a menos amanhã. Se criar essas aves for seu meio de vida, você terá uma sólida motivação para manter em equilíbrio o número de aves que envia para o mercado e o número de pintinhos que adquire.

Tanto as galinhas quanto as baleias são economicamente valiosas. O fato de alguém ter direitos de propriedade seguros sobre as galinhas, mas não sobre as baleias, explica por que as primeiras estão seguras e as últimas, ameaçadas de extinção.

Por que a poluição é um problema muito mais sério no mar Mediterrâneo do que no Great Salt Lake?*

Muitos dos países que circundam o mar Mediterrâneo despejam nele esgoto sem tratamento e uma grande quantidade de outros poluentes. Por outro lado, o Great Salt Lake é notavelmente despoluído. O que explica essa diferença?

É possível argumentar que o Great Salt Lake é mais limpo porque a cultura mórmon tem mais respeito pela natureza que as culturas leigas dos países que cercam o Mediterrâneo. É possível, mas uma explicação de ordem econômica mais convincente é que, enquanto o Great Salt Lake está inteiramente contido nas fronteiras de uma única jurisdição política (o estado de Utah), mais de duas dúzias de nações soberanas cercam o mar Mediterrâneo. Se o estado de Utah determinar normas que limitem o despejo tóxico no Great Salt Lake, os cidadãos arcarão com o custo des-

* Um do maiores lagos salgados do mundo, localizado em Utah, nos Estados Unidos. *(N. da E.)*

sas normas, mas também receberão 100% dos benefícios. Por outro lado, se uma única nação no Mediterrâneo promulgasse normas similares, seus cidadãos arcariam com o custo integral, mas colheriam apenas uma pequena fração do benefício resultante, cuja maior parte seria desfrutada pelos cidadãos de outras nações. Essa disparidade dá a cada nação do Mediterrâneo razões para deixar para outros países os esforços de preservação, problema que não existe no caso do Great Salt Lake.

Por que a queda da antiga União Soviética sinaliza problemas para os apreciadores do caviar do mar Cáspio? *(Thomas Gellert)*

Para os gourmets de todo o mundo não há iguaria mais fina que o caviar do mar Cáspio. As variedades mais raras e preciosas vêm do esturjão beluga, que pode chegar a 9m de comprimento, pesar até 900Kg e alcançar a idade de cem anos. No passado, o caviar beluga, embora caro, podia ser encontrado com facilidade. Porém, desde a dissolução da antiga URSS, em 1989, o fornecimento foi reduzido drasticamente e o preço sofreu grande aumento. O que se passa?

O mar Cáspio agora está cercado pelo Irã e por quatro nações independentes que antes faziam parte da URSS: Rússia, Casaquistão, Turcomenistão e Azerbaijão. Antes de 1989, os poderosos governos centrais do Irã e da URSS mantinham regulamentos rígidos sobre a atividade comercial no mar Cáspio. Eles evitavam a tragédia dos comuns proibindo a pesca do esturjão de menor porte. Quando a queda da União Soviética deixou os governos centrais incapazes de manter um controle regulatório rígido, os pescadores do esturjão se deram conta de que as restrições já não eram economicamente viáveis. Qualquer peixe que eles deixassem para trás simplesmente seria pescado por outros.

A Rússia e o Irã começaram mais uma vez a cooperar, tentando controlar a poluição e a pesca predatória no mar Cáspio. Nesse ínterim, porém, os consumidores se veem diante da perspectiva de continuar a pagar mais de US$160 por 300g de caviar beluga.

A LEI NÃO AFETA APENAS o que os indivíduos são autorizados a fazer com suas propriedades, mas também influencia a evolução das instituições sociais. Em particular, ela ajuda a explicar por que algumas instituições são organizadas como empresas privadas que visam o lucro, outras como organizações sem fins lucrativos e ainda outras como empresas públicas.

Por que, nos EUA, as universidades que visam o lucro não estão entre as melhores? *(Ashees Jain)*

Nos Estados Unidos, entre as centenas de universidades consideradas de topo, nenhuma tem fins lucrativos. Muitas outras instituições de ensino superior não visam o lucro. As exceções mais evidentes são as instituições com fins lucrativos (como a Phoenix University), que se especializam no ensino profissionalizante e que negam qualquer intenção de alcançar o status de elite acadêmica. Por que as escolas no topo da hierarquia educacional não têm fins lucrativos?

Em geral, as melhores universidades dos Estados Unidos cobrem no máximo um terço das despesas com a receita de anuidades. O restante vem principalmente de doações — contribuições em dinheiro feitas por alunos ou rendimentos de fundações financiadas principalmente por alunos e ex-alunos. Se considerarmos que poucos alunos fariam doações para universidades com fins lucrativos, as universidades sem fins lucrativos desfrutam de uma evidente vantagem competitiva.

No entanto, mesmo na ausência de dotações acumuladas, essas últimas instituições ainda levariam vantagem. Suponhamos, o que é plausível, que a qualidade de ensino aumente em função da quantidade de dinheiro que a universidade investe por estudante; imaginemos duas universidades — uma com fins lucrativos e a outra não — que, de início, não contam com dotação financeira. Imaginemos que a universidade com fins lucrativos cobre US$20 mil de anuidade e gaste US$20 mil por aluno, obtendo lucro zero — apenas mantendo-se em funcionamento. A universidade que não visa o lucro cobra US$18 mil de anuidade e gasta

US$20 por aluno, tendo de tomar empréstimos de US$2 mil por aluno e esperar saldar com futuras doações do corpo discente.

Como a qualidade da instrução (medida pelo dispêndio por aluno) será a mesma para ambas as universidades, para um estudante é indiferente pagar US$20 mil para frequentar a universidade com fins lucrativos ou pagar uma combinação de anuidade e doações, que totalize o mesmo valor, para frequentar a universidade sem fins lucrativos. Para ilustrar, imagine que a alíquota nominal do Imposto de Renda do estudante seja de 50%. O dinheiro que ele doar poderá ser deduzido do imposto, portanto ele poderá doar US$4 mil para uma universidade sem fins lucrativos e ainda ficar numa situação igual àquela em que estaria se tivesse pago mais US$2 mil em anuidades para a universidade com fins lucrativos.

Uma vez que as doações comecem a acontecer, a universidade sem fins lucrativos poderá gastar US$22 mil para cada US$18 mil que receber a título de anuidade. A universidade que visa o lucro, porém, continuará a despender apenas US$20 mil para cada US$20 mil recebidos em anuidades.

Em suma, as instituições sem fins lucrativos têm uma vantagem sobre as instituições que visam o lucro porque parte de sua receita vem de doações que podem ser deduzidas do Imposto de Renda do doador. Essas instituições, portanto, são capazes de gastar mais por aluno, mesmo que as instituições que visam o lucro operem com lucro zero.

Se temos locadoras de vídeos, por que não temos uma locadora de livros? *(Up Lim)*

Quando querem ver um DVD, as pessoas costumam alugá-lo em uma locadora comercial — uma loja como a Blockbuster, ou um distribuidor on-line como a Netflix. Já as bibliotecas comerciais de locação de livros existiram em lugares e épocas diferentes, mas são relativamente raras. Na maioria das vezes, compramos livros em livrarias comerciais ou os pegamos por empréstimo em bibliotecas públicas. Por que não alugamos livros?

Parte da resposta está na mesma justificativa econômica dos governos para gastar dinheiro de impostos mantendo bibliotecas públicas. O teste do custo-benefício indica que um nível de leitura, ou de qualquer outra atividade, é socialmente eficiente quando seu custo marginal é igual à soma dos benefícios marginais, tanto particulares quanto sociais. Os economistas já argumentaram que, além do benefício pessoal que as pessoas colhem da leitura, há outros benefícios para outros membros da comunidade. Assim, por exemplo, todos se beneficiam com a existência de cidadãos mais bem informados. Mas quando decidem ler um livro, os consumidores individuais focalizam principalmente nos próprios benefícios pessoais, ignorando qualquer vantagem que outros possam obter. Desse modo, as pessoas podem tender a ler menos livros do que se justificaria se o teste de custo-benefício fosse aplicado da perspectiva da comunidade como um todo. Uma solução natural para o problema é tornar a leitura de livros mais atraente, subsidiando-a — daí a sedução das bibliotecas públicas.

Naturalmente, um argumento similar poderia ser apresentado em favor de determinados filmes. Há quem tenha alegado, por exemplo, que filmes como *Uma verdade inconveniente* produzem um eleitorado mais informado, o que poderia acabar resultando em políticas públicas mais inteligentes sobre a mudança do clima global. Contudo, no fim das contas, o consenso é que os filmes cumprem muito menos que os livros com essa missão educacional mais ampla, sendo, portanto, menos merecedores de apoio público.

Outra razão pela qual os aluguéis de livros são menos comuns que os de filmes é o fato de que, enquanto o filme geralmente pode ser visto em duas horas, quase sempre são necessários vários dias, às vezes semanas, para se ler um livro. Como consequência desse maior tempo de giro dos livros, para que uma locadora de livros fosse viável, o aluguel necessário por unidade teria que ser muitas vezes maior que o cobrado por uma locadora de filmes. Contudo, tal como no caso dos vestidos de noiva, o aluguel só pode subir até o valor a partir do qual comprar se torna mais atraente do que alugar.

COMO VIMOS NO CAPÍTULO ANTERIOR, comportamentos que favorecem os interesses limitados dos indivíduos em geral prejudicam os interesses dos grupos aos quais os indivíduos pertencem. Quando isso acontece com animais não humanos, em geral não há solução. Embora os alces tenham razões compreensíveis para entrar num acordo segundo o qual cada animal teria de cortar sua galhada pela metade, eles não dispõem de qualquer forma prática de implantar esse acordo.

Nos grupos humanos a situação é diferente. Quando as motivações individuais favorecem comportamentos que prejudicam grupos, é possível mitigar o conflito. Como vimos no capítulo anterior, os jogadores de hóquei geralmente dão a suas federações o poder de implantar regras que os obriguem ao uso do capacete, embora, na ausência dessas regras, eles invariavelmente patinem sem proteção. Os exemplos a seguir ilustram outras formas pelas quais leis e regulamentos podem ajudar a resolver conflitos entre interesses individuais e coletivos.

Por que os trabalhadores votam em políticos favoráveis a normas de segurança no trabalho, embora, por conta própria, quase sempre escolham empregos menos seguros que pagam salários mais altos?

A explicação convencional é que os regulamentos são necessários para evitar que os trabalhadores sejam explorados por empregadores com poder de mercado. No entanto, as normas de segurança são mais rígidas nos mercados de trabalho mais competitivos. O teste do custo-benefício de um dispositivo de segurança é se os trabalhadores estão dispostos a arcar com seu custo. Em um mercado competitivo, se um dispositivo que passe nesse teste não for fornecido, haverá "dinheiro solto na mesa". Por exemplo, suponha que os trabalhadores estejam dispostos a sacrificar por semana R$200 de seus salários em troca da segurança adicional propiciada por um equipamento cujo custo é de apenas R$100 por semana. Se o empregador deixar de fornecer esse recurso, haverá "dinheiro solto na mesa" para um empregador rival que o forneça e pague por ele oferecendo salários, digamos, R$120 mais baixos do que os pagos pelo primeiro empregador. Tanto os empregados que se mudem para a nova empresa quanto a nova empresa propriamente dita estarão lucrando. Resumindo:

se os trabalhadores desejam mais segurança e estão dispostos a arcar com esse custo, as empresas terão motivos para fornecê-la, mesmo que não haja normas nesse sentido. Portanto, por que criamos normas?

O exemplo dos capacetes de hóquei sugerido por Thomas Schelling (Capítulo 5) mostra que os trabalhadores podem ter interesse em restringir as próprias opções em questões de segurança. Tal como no caso do hóquei, muitas das consequências mais importantes na vida dependem de uma posição relativa. Como uma "boa" escola é um conceito inevitavelmente relativo, a luta de cada família para dar aos filhos a melhor educação guarda muita relação com a luta do atleta por vantagem competitiva. As famílias procuram comprar casas em bairros que tenham as melhores escolas a seu alcance; no entanto, quando todas as famílias gastam mais, a consequência é apenas um aumento do preço dessas casas. Metade das crianças ainda terá de frequentar as escolas abaixo da média.

Os trabalhos mais arriscados pagam salários mais altos porque os patrões gastam menos com segurança. Dessa forma, os trabalhadores podem conquistar uma vantagem financeira se aceitarem esses empregos, o que lhes permite conseguir casas em bairros com escolas melhores. Tal como os jogadores de hóquei, quando livres das restrições, dispensam o uso de capacete, os trabalhadores que estão livres para vender a segurança em troca de salários mais altos talvez compreendam que, se não fizerem isso, estarão condenando os filhos às escolas inferiores. Em cada caso, limitar as próprias opções pode evitar uma corrida mutuamente desvantajosa numa direção prejudicial.

Por que a legislação trabalhista norte-americana considera ilegal um adulto responsável trabalhar horas extras em troca de qualquer salário que ele considere aceitável? *(George Akerlof)*

A lei federal Fair Labor Standards Act determina o pagamento de valores mais altos pelas horas trabalhadas que ultrapassem o limite de quarenta horas semanais. Os economistas favoráveis às leis de mercado costumam condenar essa exigência, observando que muitos indivíduos trabalhariam voluntariamente as horas a mais que fossem oferecidas pelos empregadores sem receber por elas uma remuneração mais alta. Em consequência do desestímulo implícito no salário mais elevado, a maioria dos empregadores só demanda horas extras para cobrir déficits imprevistos de produção, que ocorrem de forma infrequente. Por que a lei impede os trabalhadores e os patrões de assinarem contratos que as duas partes consideram vantajosos?

A lógica de exigir que os empregadores paguem pelas horas extras um valor mais alto pode ser similar àquela de exigir que os empregadores limitem os riscos no ambiente de trabalho. Desse modo, os indivíduos, muitas vezes, podem aumentar as chances de promoção se trabalharem além do expediente, mas, quando outros fizerem o mesmo, as perspectivas de promoção de todos continuarão, grosso modo, as mesmas de antes. O resultado, em geral, é uma corrida na qual todos precisam trabalhar até as 20h toda noite, só para evitar ficar para trás.

Mesmo quando a promoção não é a questão principal, os motivos de cada indivíduo para trabalhar mais horas podem ser equivocadamente atraentes da perspectiva do grupo. Por exemplo, quando trabalha mais horas, o empregado pode se permitir comprar uma casa num bairro com escolas melhores, mas quando todos trabalham mais horas o efeito é meramente aumentar o preço das casas nos bairros com escolas melhores. Como antes, metade das crianças passa a frequentar as piores escolas.

A mão invisível de Adam Smith tem por base a premissa implícita de que as recompensas individuais só dependem do desempenho absoluto. O fato, porém, é que muitos aspectos da vida são avaliados de forma relativa.

Por que as modelos muito magras foram banidas da semana de moda de Madri?

Em setembro de 2006, os organizadores da semana de moda anual de Madri, conhecida como Pasarela Cibeles, chegaram um acordo com a associação dos estilistas da Espanha, banindo a participação de qualquer modelo de passarela com um índice de massa corporal (IMC) menor ou igual a 18. (Uma modelo com 1,73m precisaria pesar mais ou menos 63Kg para ter um IMC igual a 18.) Os organizadores da feira de moda de Madri declararam desejar que o evento projetasse "uma imagem de beleza e saúde". No entanto, é óbvio que os consumidores consideram as modelos mais magras mais bonitas que as outras, caso contrário os estilistas não iriam contratá-las. Portanto, por que banir modelos magras?

Os estilistas acreditam que as roupas parecem mais graciosas em modelos magras, e o público parece concordar com isso. Portanto, até certo ponto, um estilista pode ter uma vantagem competitiva se empregar modelos mais magras. Para não perder a vantagem, os outros estilistas devem fazer o mesmo, e a consequente corrida armamentista posicional pode ditar hábitos alimentares que ameacem a saúde das modelos. O raciocínio razoável por trás da regra do IMC é que ela ajuda a desarmar essa corrida armamentista.

A secretária britânica de Cultura Tessa Jowell aplaudiu a regra de Madri e conclamou os organizadores da semana de moda de Londres a adotá-la, afirmando que seu impacto transcenderia em muito as fronteiras da indústria da moda. Jowell declarou: "As meninas sonham parecer com modelos de passarela. Quando essas modelos são doentiamente magras, as jovens se sentem pressionadas a passar fome para ter a mesma aparência."

Por que a maioria dos estados determina datas de entrada na pré-escola?

A maioria das jurisdições tem leis determinando que as crianças entrem na pré-escola aos 6 anos. No entanto, as crianças dessa idade são muito diferentes em termos de maturidade física, intelectual e emocional. Por que os estados não deixam que os pais decidam quando as crianças estão prontas para entrar na escola?

Imagine que a maioria das crianças entrasse na pré-escola aos 6 anos, e que um casal tivesse a opção de manter o filho de 6 anos em casa por mais um ano. Ao começar os estudos aos 7 anos ele seria maior, mais forte, mais inteligente e mais maduro que os colegas de classe. Como em todos os domínios da escola o desempenho é pontuado de forma relativa, essa criança provavelmente teria notas melhores e mais probabilidade de se destacar em atividades atléticas e de ocupar posições de liderança nas organizações escolares. Para resumir, estaria numa situação em que teria mais chance de ser admitido em uma universidade de elite.

Porém, quando um indivíduo se adianta em termos relativos, outros sofrem um atraso. Outros pais ambiciosos seriam compelidos a manter em casa por mais um ano os filhos de 6 anos. Por mais ambiciosos que fossem, os pais não continuariam a manter os filhos fora da escola indefinidamente, mas é possível imaginar uma idade média de ingresso na escola em torno de 8 ou 9 anos nas jurisdições em que os pais tivessem essa liberdade de escolha. Como do ponto de vista da coletividade nada se ganha quando todas as crianças começam a estudar mais tarde, a maioria das jurisdições decidiu não delegar essa decisão aos pais.

É CLARO QUE O FATO DE MOTIVAÇÕES individuais não coincidirem com as motivações coletivas não é a única razão pela qual os países criam normas de comportamento. No domínio da segurança, por exemplo, muitos consideram que, em geral, os indivíduos não têm as informações necessárias, ou talvez a intuição necessária, para fazer escolhas inteligentes.

Essa regulação paternalista quase sempre é polêmica, mas tem mais possibilidade de ser adotada quando voltada para as crianças, já que a maioria dos adultos concorda que elas não estão em posição de tomar, sozinhas, decisões inteligentes relacionadas à própria segurança. Contudo, os próximos exemplos ilustram como o princípio do custo-benefício ainda desempenha papel central nas decisões sobre as formas específicas que esses regulamentos devem assumir.

Por que se exige o uso de cadeiras infantis de segurança em automóveis, mas não nos aviões? *(Greg Balet)*

O governo exige que nos automóveis, mesmo quando se vai apenas até o mercado, as crianças viajem sentadas em cadeiras de segurança. No entanto, podemos conduzir no colo crianças com menos de 2 anos, sem cinto de segurança, quando voamos de Nova York para Los Angeles. O que explica essa diferença?

Há quem atribua essa diferença ao fato de que, se o avião cair, todos morrerão de qualquer forma, estejam ou não usando cinto de segurança. É verdade, mas, além de cair, um avião passa por muitas situações — como uma turbulência grave —, em que usar o cinto ajuda muito.

Uma explicação mais razoável começa com a observação de que, uma vez que se tenha uma cadeira infantil de segurança, colocá-la no banco traseiro do carro não envolve qualquer custo porque quase sempre há espaço eficiente para ela. Como o custo marginal é nulo e o benefício marginal é mais segurança para a criança, faz muito sentido acomodá-la numa cadeira de segurança quando se sai de carro. Por outro lado, se fizermos uma viagem aérea de Nova York para Los Angeles, será preciso comprar mais uma passagem para colocar a criança numa cadeira de segurança, o que pode custar US$1 mil (mesmo permanecendo em L.A. no sábado).

O custo de oportunidade de usar uma cadeira de segurança é muito menor num automóvel que num avião.

Talvez as pessoas não se sintam à vontade para dizer que sai muito caro proporcionar mais segurança aos filhos numa viagem aérea, mas, em última análise, trata-se disso. Portanto, em vez de pagar US$1 mil por mais uma passagem, elas seguram bem as crianças e rezam para tudo dar certo.

Por que é obrigatório o uso de cintos de segurança em automóveis, mas não em ônibus escolares? *(Carole Scarzella, Tanvee Mehra, Jim Siahaan e Sachin Das)*

Em todos os estados norte-americanos, exceto New Hampshire ("Liberdade ou morte!"), existem leis que determinam o uso de cinto de segurança pelos motoristas e passageiros em automóveis. No entanto, apenas quatro estados (Nova York, Nova Jersey, Flórida e Califórnia) exigem a instalação de cinto de segurança em todos os novos ônibus escolares. Por que essa diferença?

De acordo com o órgão de segurança no trânsito, o National Highway Traffic Safety Administration, o uso de cinto de segurança em automóveis salva mais de 12 mil vidas por ano. Como o número de mortes por acidentes no trânsito supera 40 mil por ano, essa é uma cifra expressiva. Contudo, embora uma em cada oito dessas vítimas de acidente tenha menos de 19 anos — mais de 5 mil óbitos por ano —, a taxa de mortes de crianças em ônibus escolares é consideravelmente menor, em média 10,2 óbitos anuais no período entre 1990 e 2000. Um estudo de 2002, realizado pelo National Research Council, assinalou que ir para a escola a pé, de bicicleta ou de automóvel envolve um risco muito maior do que viajar num ônibus escolar. Liz Neblett, do National Highway Traffic Safety Administration, observando que os ônibus escolares têm poltronas rigidamente compartimentalizadas, com encostos altos e resistentes a choques, declarou: "Um ônibus escolar leva as crianças como se fossem ovos numa caixa. É a forma de transporte mais segura em circulação."

O custo de acrescentar cinto de segurança aos típicos ônibus escolares foi estimado em aproximadamente US$1.800 nos Estados Unidos. Há provas indicando que um número muito maior de vidas seria salvo se o mesmo dinheiro fosse gasto melhorando a segurança do cruzamento de pedestres junto às paradas de ônibus escolares.

Por que os barcos de passeio têm equipamentos de proteção contra colisão mais limitados que os dos automóveis? *(Peter Gyozo)*

De acordo com as leis federais norte-americanas, atualmente a maioria dos carros vendidos tem equipamentos como airbags dos lados do motorista e do passageiro, cintos de segurança de três pontos e recursos de absorção de energia que ajudam a dissipar as forças destrutivas geradas por colisões em alta velocidade. Por que a legislação não exige as mesmas características em lanchas recreativas?

Quase todos os usuários de barcos também dirigem automóveis. Da perspectiva dos indivíduos e dos legisladores racionais, o critério de excelência nos investimentos de segurança é que o último dólar gasto em segurança em cada domínio resulte no mesmo incremento na probabilidade de sobrevivência. (Imagine que o último dólar gasto por um proprietário de lancha em recursos de segurança para o automóvel tenha resultado num aumento da probabilidade de sobrevivência menor que o proporcionado pelo último dólar gasto no equipamento de segurança do barco. Então, ele pode aumentar a probabilidade de sobrevivência se gastar menos US$1 na segurança do automóvel e mais US$1 na segurança do barco.)

Por diversas razões um dispositivo de segurança instalado num automóvel tende a proporcionar muito mais ganho do que se for instalado em um barco. O mais importante é que o típico motorista passa centenas de horas por ano atrás do volante do carro, mas poucos proprietários de barcos, principalmente nos climas setentrionais, conseguem passar até mesmo quarenta horas por ano nos barcos. O custo de instalar um equipamento de segurança é o mesmo, seja qual for o número de horas de uso do automóvel ou do barco. Portanto, o número de vidas salvas por um equipamento de segurança tende a ser muito maior nos automóveis que nos barcos. (Observem a similaridade entre essa explicação e a discussão do Capítulo 2 sobre as razões pelas quais faz mais sentido ter uma lâmpada no refrigerador do que no freezer.)

Os equipamentos de segurança também são menos importantes nos barcos porque os cursos d'água são menos congestionados, em média, que as autoestradas e porque os barcos se deslocam em velocidades médias muito inferiores às dos carros. Os portos, canais e outras áreas de muito tráfego costumam ter a velocidade limitada a 8km/h, o que, em caso de colisão, dificilmente resulta em ferimentos.

A questão não é que andar de barco seja uma atividade sem risco. Nos Estados Unidos, morrem mais de oitocentas pessoas por ano em acidentes com barcos. Na verdade, exige-se que os proprietários de barcos invistam em equipamentos de segurança específicos que mostraram ter um impacto significativo nas chances de sobrevivência dos usuários. Na maioria dos estados, por exemplo, exige-se que os barcos tenham, para cada passageiro a bordo, um equipamento de flutuação pessoal aprovado pela guarda costeira. No entanto, o fator mais importante é que andar de automóvel é muito mais arriscado que andar de barco, portanto faz mais sentido, do ponto de vista econômico, investir em equipamentos de segurança para automóveis.

UMA INFLUENTE ESCOLA de pensamento econômico afirma que as leis evoluem de modo a promover a eficiência. Uma lei é considerada eficiente quando maximiza a riqueza dos membros da sociedade. Essa ideia é atraente porque, se houvesse duas formas de escrever uma lei e uma se mostrasse mais eficiente que a outra, seria possível chegar a um acordo que, pela vigência da lei mais eficiente, deixasse todos numa condição melhor do que estariam na vigência da lei menos eficiente.

Suponhamos, por exemplo, que uma versão de uma lei aumentasse em R$6 bilhões a riqueza total dos consumidores e não tivesse qualquer efeito sobre a riqueza dos produtores, enquanto outra versão da mesma lei aumentasse em R$2 bilhões a riqueza dos produtores, sem exercer qualquer efeito sobre os consumidores. A primeira alternativa é mais eficiente porque produz maior aumento total de riqueza.

Porém, imaginemos que os produtores tenham poder político para forçar a adoção da segunda alternativa. Os proponentes da hipótese da eficiência legal argumentam que os produtores prefeririam usar aquele poder para conseguir isenções fiscais suficientes a fim de compensar os R$2 bilhões que estariam sacrificando ao concordar com a versão mais eficiente da lei.

Uma escola de pensamento rival admite que esse argumento é atraente, mas enfatiza que costuma ser difícil realizar, na prática, as negociações necessárias para alcançar resultados eficientes. De acordo com essa visão, a consequência é que as leis e os regulamentos às vezes são formulados, não porque promovam a eficiência, mas porque atendem a poderosos interesses especiais.

Como vários exemplos anteriores demonstram, a visão pró-eficiência tem muito a seu favor, mas a visão dos interesses especiais não deixa de ter um poder explanatório próprio.

Por que não é ilegal dirigir comendo um sanduíche ou tomando um café, mas é ilegal dirigir falando ao celular? *(Evan Psaropoulos)*

As provas de que falar ao telefone celular enquanto se dirige aumenta o risco de acidente levaram muitos países a abolir essa prática, exceto em alguns lugares que permitem telefones celulares com fones de ouvido, que deixam as mãos livres. No entanto, os motoristas podem exercer legalmente outras atividades que parecem igualmente perigosas: comer sanduíches, tomar bebidas quentes, trocar CDs e até mesmo aplicar cosméticos. Como essas atividades representam distrações visuais e mecânicas semelhantes às associadas ao uso do telefone celular, por que não são ilegais?

Uma razão possível é que o uso de telefone celular atrapalha mais que outras atividades. Quando envolvidos numa conversação, por exemplo, os motoristas podem ficar muito menos atentos do que se estivessem apenas comendo um hambúrguer. No entanto, conversar com outros passageiros do automóvel continua a ser legal. Alguns alegam que falar ao celular distrai mais que falar com passageiros, que podem avisar quando as condições do tráfego forçam a interrupção da conversação. Mas, como os agentes reguladores da maioria dos estados ainda permitem o uso de telefone celular com fones de ouvido, essa explicação também parece insuficiente.

Quando fracassam todas as tentativas de explicar de forma lógica uma lei, uma boa estratégia é perguntar de que maneira ela pode mudar a renda daqueles a quem afeta. Se os legisladores proibissem os motoristas de consumir café ou hambúrgueres enquanto dirigem, as vendas das lanchonetes cairiam. Portanto, os legisladores podem relutar em aprovar essa lei com receio de que as corporações retaliem, deixando de fazer contribuições para campanhas eleitorais. Quando autorizam o uso de telefone celular com fone de ouvido, os legisladores não correm esse risco, já que as empresas de telefonia celular podem vender tantas assinaturas quanto antes. Na verdade, elas podem até aumentar os lucros, vendendo fones de ouvido.

Outro fator que contribui para esse quadro pode ser o fato de que comer enquanto se dirige é uma prática que se consagrou muito antes que a sociedade começasse a impor regulamentos detalhados de segurança na conduta pessoal. Portanto, o uso de telefones celulares e outros comportamentos arriscados emergentes podem constituir alvos mais tentadores para os agentes reguladores. Nesse caso, mais uma vez, a história faz diferença.

Por que o uso de aparelhos detectores de radar não é ilegal em alguns estados dos Estados Unidos? *(Matt Rosedale)*

Em todas as jurisdições norte-americanas existe a imposição de limites de velocidade nas estradas porque os cidadãos acreditam que autorizar os motoristas a dirigir na velocidade que desejarem representaria um risco inaceitável para a segurança pública. As leis federais proíbem o uso de aparelhos de detecção de radar em veículos comerciais que participem de comércio interestadual, mas somente a Virgínia e o distrito de Columbia proíbem seu uso em veículos de passageiros. Considerando-se haver apoio público, mesmo que relutante, aos limites de velocidade, por que os legisladores de tantos estados se recusam a tornar ilegal um equipamento cujo único propósito é permitir aos motoristas violar tais limites?

Na verdade, o legislativo estadual muitas vezes tentou introduzir leis proibindo o uso de detectores de radar. De acordo com a Radio Association Defending Airwave Rights (RADAR), grupo de lobistas a favor do aparelho de detecção, nos últimos anos foram derrotadas mais de 110 tentativas de banir os detectores de radar em 33 estados. Portanto, uma possível explicação para a legalidade desses aparelhos é que alguns poderosos atores econômicos (os vendedores desses aparelhos) têm bons motivos para fazer lobby contra as proibições.

Por outro lado, o interesse público pela proibição dos detectores de radar é difuso. Poucos consumidores têm interesse suficiente pela questão para se dar ao trabalho de escrever sobre ela a seus representantes, e um número ainda menor está preparado para, com base nessa questão, fazer ou deixar de fazer contribuições significativas para campanhas eleitorais.

Além disso, muitos motoristas têm uma atitude ambivalente com relação à necessidade de banir os detectores de radar. As pesquisas mostram consistentemente que mais de 90% dos cidadãos se acreditam motoristas acima da média. (Os psicólogos dão a isso o nome de efeito Lake Wobegon, em homenagem a uma cidade mítica do Meio-Oeste, criada por Garrison Keillor, na qual "todas as crianças são acima da média".) Portanto, muitos motoristas provavelmente pensam que, embora seja necessário estabelecer limites de velocidade para protegê-los da incompetência de outros motoristas, eles mesmos podem acelerar com segurança. De qualquer modo, a maioria dos motoristas parece mais que disposta a aproveitar todas as oportunidades de ultrapassar os limites de velocidade. Por exemplo, nas rodovias interestaduais, cujo limite de velocidade é de 100km/h, muitos motoristas fixam seus controles de velocidade em 110km porque alguém que conhece um oficial da patrulha rodoviária lhes disse que as autoridades multam apenas quem exceder o limite em mais de 15km/h. Dessa forma, não é surpresa que os estados tenham tanta dificuldade em proibir o uso de detectores de radar.

Os dois últimos exemplos deste capítulo mostram como os princípios econômicos afetam os termos das leis que pretendem proteger os consumidores contra abusos por parte de empresas que têm poder de mercado. Ambos focam na indústria dos táxis de Nova York, onde o governo municipal criou um monopólio legal ao proibir que um táxi circule sem previamente ter adquirido licença de operação. Com a intenção de diminuir o congestionamento das ruas, o município só emite um número limitado de licenças, fazendo com que haja menos táxis do que haveria se o ingresso no mercado não fosse regulado.

Uma das consequências é que os donos de licenças detêm algum poder de mercado que, se não fosse controlado, lhes permitiria cobrar tarifas muito mais altas do que o custo real de transportar passageiros. Consequentemente, é comum que as cidades estabeleçam normas, não só sobre o número de táxis em operação, mas também sobre as tarifas que eles são autorizados a cobrar. O objetivo dessas normas, além de proteger os consumidores de tratamento inadequado, é promover decisões mais eficientes sobre o uso dos táxis.

Por que as tarifas de táxi têm uma parcela fixa e uma variável, em vez de simplesmente ser cobrado um valor mais alto por quilômetro rodado? *(Mario Caporicci)*

As normas de 2006 sobre a circulação de táxis em Nova York determinavam que a tarifa a ser cobrada dos passageiros era composta de uma taxa fixa de US$2,50, mais US$0,40 para cada terço de quilômetro rodado, mais US$0,40 para cada dois minutos de espera no trânsito. Estruturas de tarifas semelhantes são adotadas em cidades em todo o mundo. Por que os agentes reguladores não optam por adotar a alternativa aparentemente mais simples de dispensar o valor fixo e cobrar um valor mais alto por quilômetro rodado e pelo tempo de espera?

Como em qualquer um dos dois casos, os táxis teriam de utilizar um contador eletrônico de quilometragem para calcular a tarifa, não seria mais simples cobrar uma tarifa baseada apenas na quilometragem. Uma justificativa mais convincente para a estrutura atual é o fato de ela ser mais eficiente que cobrar apenas pela quilometragem.

Para não falirem, os motoristas de táxi precisam cobrir todos os custos. Alguns são aproximadamente proporcionais ao número de quilômetros rodados (combustível, manutenção e depreciação, por exemplo), mas muitos outros não. O custo de oportunidade do dinheiro investido no automóvel, por exemplo, é o mesmo, seja qual for a quantidade de quilômetros que o veículo rode. Também são custos fixos as despesas de seguro e, em cidades que exigem uma licença, seu preço. (Atualmente, uma licença de táxi de Nova York é vendida por mais de US$300 mil.)

A estrutura de tarifas de táxi mais eficiente será aquela que levar os consumidores a basear a decisão sobre o uso do táxi, tanto quanto possível, nos custos *extras* que o taxista terá por causa desse uso. Se um táxi tivesse de cobrir todos os custos com uma tarifa com base no número de quilômetros rodados, essa tarifa teria de valer vários dólares por quilômetro. Com isso, a maioria das pessoas seria desencorajada a usar táxis para mais do que distâncias curtas, embora o custo adicional de servir a esses passageiros fosse menor do que o que eles estariam dispostos a pagar.

Uma estrutura de tarifas com componentes fixos e variáveis imita mais de perto a estrutura de custos real da maioria dos táxis. Ao permitir que os táxis cobrem menos por quilômetro, essa estrutura de tarifas não obriga os passageiros a pagarem muito mais do que o custo real nas corridas longas, o que reduz o risco de que as pessoas sejam desencorajadas a fazer corridas longas, cujo benefício excede o custo real.

Por que a corrida de táxi do aeroporto John F. Kennedy (JFK) para qualquer ponto de Manhattan custa uma tarifa fixa de US$45, quando a maioria das corridas na cidade é cobrada pelo taxímetro? *(Travis Murphy Parsons)*

As corridas aferidas pelo taxímetro do aeroporto JFK para diversos pontos de Manhattan variam, em função da densidade do trânsito, de US$30 a US$70, de acordo com a fórmula padrão empregada para corridas de táxi em quase todos os locais da cidade. Por que, então, os agentes reguladores dos táxis de Nova York estabelecem uma taxa não variável de US$45 para a corrida do aeroporto a Manhattan?

O aeroporto JFK é um dos principais portões internacionais de entrada nos Estados Unidos. O turismo é uma das indústrias mais importantes de Nova York e a cidade tem grande interesse em garantir que os visitantes estrangeiros recém-chegados tenham uma experiência positiva. Como a maioria desses visitantes conhece pouco o idioma, eles ficam especialmente vulneráveis nas transações comerciais, inclusive aquelas com motoristas de táxi. Para evitar que os turistas e outros viajantes inexperientes tenham de se preocupar com a possibilidade de o motorista de táxi estar fazendo voltas desnecessárias ou utilizando outras formas de cobrar preços injustos, o órgão regulador, a New York City Taxi and Limousine Comission, estabeleceu uma tarifa única para os serviços de táxi do aeroporto JFK para Manhattan.

7

Decifrando os sinais do mercado

Os economistas costumam pressupor que pessoas e empresas dispõem de informações completas sobre os custos e benefícios relevantes para suas decisões. Na prática, porém, muitas vezes somos lamentavelmente mal informados, mesmo quando precisamos tomar decisões importantes. Porém, o princípio do custo-benefício se aplica mesmo nesses casos, mostrando que, muitas vezes, é melhor agir com base em pouca informação do que arcar com o custo de se informar mais.

O primeiro exemplo deste capítulo mostra como quem deve tomar a decisão muitas vezes tem dificuldade em conseguir mais informações porque o detentor do conhecimento não tem interesse em revelá-las.

Por que os consultores de investimentos raramente recomendam a venda de ações de uma empresa? *(Joseph Lucarelli)*

Embora em muitos anos o mercado de ações como um todo tenha sido valorizado, a meta dos investidores ambiciosos é superar os principais indicadores, como o índice Standard & Poors 500. Para isso, muitos se baseiam nas recomendações de analistas financeiros profissionais. No entanto, estudos mostram que essas recomendações são surpreendentemente parciais. Em 2000, por exemplo, os analistas de corretoras de valores fizeram

28 mil recomendações sobre empresas dos Estados Unidos, sendo mais de 99% delas no sentido de comprar ou manter as ações. Naquele ano, os analistas recomendaram a venda de ações de empresas individuais em menos que 1% do tempo. No entanto, em 2000, uma fração substancial das ações de empresas norte-americanas sofreu queda, tendo o valor de muitas delas caído para menos da metade. Por que as recomendações dos analistas se inclinam tão fortemente na direção da compra?

Somos tentados a dizer que em 2000 os analistas foram vítimas da mesma "exuberância irracional" que afetou todos os investidores durante os anos de euforia do final da década de 1990. Mas pesquisas mostram que também em outros anos as recomendações dos analistas revelam a mesma tendência ao otimismo.

Uma origem provável para essa tendência é sugerida pelo exame dos custos e benefícios que os analistas do mercado de ações enfrentam quando formulam suas recomendações. Consideremos que uma ação seja analisada por cinco especialistas. Todos eles querem fazer uma previsão exata da tendência de mudança no preço da ação nos próximos meses, mas cada um também quer manter um bom relacionamento com a empresa que está sendo avaliada, muitas vezes cliente ou potencial cliente de seu empregador.

Em termos gerais, o analista também tem bons motivos para levar em consideração a recomendação dos outros quatro analistas, antes de definir a própria posição. Afinal, ele sabe que o custo de cometer um erro depende, em parte, das recomendações feitas pelos outros quatro analistas. De saída, ele sabe que as recomendações dos outros provavelmente terão pelo menos uma pequena tendência em favor da compra, porque o empregador dos analistas está interessado em ficar em bons termos com as empresas avaliadas. No caso extremo, se os cinco analistas tiverem recomendado a compra e o valor das ações cair, nosso analista sabe que sua vulnerabilidade a críticas será limitada pelo fato de que o erro de previsão foi generalizado.

Por outro lado, se o analista recomendar a venda quando os outros recomendam a compra, e o valor das ações da empresa cair, ele será três vezes perdedor. Não só sua recomendação foi equivocada, mas o erro foi visível, já que os outros analistas fizeram a previsão correta. Para piorar a situação, seu empregador colherá a má vontade de um potencial cliente.

Nessas circunstâncias, a aposta mais segura para cada analista é procurar seguir a provável recomendação dos colegas. Todos sabem que o interesse dos empregadores dos analistas, tal como do seu próprio empregador, serão mais bem servidos por uma recomendação de compra. Além disso, outros analistas estão tentando prever não só o desempenho das ações da empresa, mas também o que os outros especialistas recomendarão. Dessa forma é fácil ver por que a aposta mais segura é uma recomendação de compra. Porém, como os investidores cautelosos acabam por aprender, uma recomendação de compra contém pouca informação útil sobre o valor futuro de uma ação.

O FATO DE AS TRANSAÇÕES de mercado ocorrerem entre partes cujos interesses estão pelo menos potencialmente em conflito é mais a regra do que a exceção. O vendedor quer que o comprador revele quanto está disposto a pagar, mas o comprador, temendo que o vendedor aumente o preço, tenta esconder o próprio entusiasmo. Do mesmo modo, o comprador deseja saber se o produto que está pensando em comprar é bom, mas não pode confiar que o vendedor, que dispõe dessa informação, vá revelar os defeitos do produto. Em situações assim, como o indivíduo que precisa tomar uma decisão pode se informar mais?

Os biólogos empregaram princípios básicos da economia na tentativa de responder a esta pergunta no caso de animais cujos interesses são conflitantes. Por exemplo, quando dois cachorros querem o mesmo osso, cada um deles tem muito interesse em discernir a força do rival antes de decidir lutar. Não vem ao caso o fato de os adversários não serem capazes de fazer declarações sobre a própria força, já que não se pode acreditar em declarações como "Eu sou terrível! É melhor não disputar esse osso comigo!"

Nessa situação, os cães confiam implicitamente no "princípio da dificuldade de simular", segundo o qual, para que sinais trocados por potenciais adversários sejam convincentes, eles devem ser custosos (ou pelo menos difíceis) de simular. O tamanho é um desses sinais, já que, quanto maior for o cão, mais assustador ele será como adversário. Diante de um oponente significativamente maior, é provável que o cachorro desista de brigar. Mas, se o rival for bem menor, é mais provável que ele lute.

Nessas situações, os cães se esforçam ao máximo para parecer maiores. Quando o cão está emocionalmente estimulado a combater, os pequenos músculos lisos que cercam os folículos pilosos das costas instantaneamente se contraem, fazendo os pelos ficarem eriçados e o animal parecer maior. Mas a seleção natural tomou providências para que todos os cães sobreviventes sigam essa estratégia; logo, no fim das contas, ninguém é enganado por ela. Os cães que parecem maiores, apesar dos pelos eriçados, são realmente maiores.

O princípio da dificuldade de simular também explica por que o filhote de passarinho que pia mais alto no ninho é o que tem mais chance de ser alimentado pelos pais. O interesse de cada filhote é conseguir a maior quantidade possível de comida e para isso ele chilreia bem alto, sinalizando fome. Porém, como os irmãos empregam a mesma estratégia, o sinal pode parecer pouco informativo. No entanto, experimentos mostraram que os passarinhos mais famintos são capazes de piar mais alto que os outros. Nesse caso, a motivação conta muito, e estar realmente faminto dá a motivação necessária para produzir mais decibéis.

O PRINCÍPIO DA DIFICULDADE DE SIMULAR também se aplica às comunicações entre possíveis adversários em várias condições do mercado.

Por que os fabricantes norte-americanos, às vezes, colocam a frase "Conforme anunciamos na tevê" em anúncios impressos e nas embalagens de alguns produtos? *(Joan Moriarty)*

Nos Estados Unidos, os fabricantes que anunciam seus produtos na televisão às vezes parecem ansiosos em tornar os potenciais compradores cientes desse fato. Para isso, eles muitas vezes incluem a frase "Conforme anunciamos na tevê" em anúncios de jornais e revistas e na embalagem do produto. Por que faz diferença para os compradores o produto ter sido visto na tevê?

A propaganda de televisão norte-americana pode ser muito cara: em alguns horários, um comercial de trinta segundos de duração pode custar mais de US$2,5 milhões. É claro que nem todas as propagandas de televisão são tão caras. No entanto, até mesmo anúncios exibidos no final de noite em canais de tevê a cabo costumam ser mais caros que a publicidade na maioria dos meios falados e impressos. Portanto, a verdadeira questão é a seguinte: por que os produtores querem tanto que se saiba que eles investiram pesadamente para levar os produtos à atenção dos potenciais compradores?

A chave para responder a esta pergunta é a observação de que o investimento em propaganda tem mais retorno se o produto tiver qualidade. O máximo que uma propaganda pode fazer é induzir um potencial comprador a experimentar o produto. Se ele experimentar e gostar, então a propaganda terá realmente surtido efeito, porque esse comprador provavelmente voltará a comprar novamente e falará aos amigos sobre o produto. Porém, se experimentar o produto e ficar decepcionado, o comprador não irá adquiri-lo novamente e não irá recomendá-lo aos amigos. Nesse último caso, o dinheiro gasto em publicidade é, em grande parte, perdido.

É importante para alguém?

Na pesquisa de mercado realizada antes de lançar um produto, os produtores geralmente fazem muitos grupos de discussão, portanto eles têm uma ideia bastante clara sobre quais produtos agradarão mais aos consumidores. Logo, quando um fabricante decide investir pesadamente na publicidade de um produto, os potenciais compradores podem inferir com razão que ele tem bons motivos para esperar que os consumidores gostem do produto. Caso contrário, não valeria a pena gastar muito para anunciá-lo. Portanto, não admira que muitos fabricantes queiram chamar nossa atenção para o fato de terem anunciado os produtos na tevê, a mais cara de todas as mídias.

Por que os advogados gastam mais com automóveis e roupas que os professores universitários de mesma renda?

Quanto mais o indivíduo ganha, provavelmente mais gastará em muitas categorias de consumo. Automóveis e roupas não são exceção.

Em algumas ocupações, o vestuário é um importante indicador de competência.

Os ricos gastam muito mais que os pobres com automóveis e roupas. Mas a renda não é o único fator determinante para esses dispêndios. Assim, por exemplo, os advogados costumam gastar com carros e roupas mais que os professores universitários de mesmo gosto e renda. Por que essa diferença?

Como observamos, há uma ligação positiva entre quanto se ganha e quanto se gasta. Nos mercados de trabalho competitivos também há uma ligação positiva entre o nível de talento do indivíduo e o salário que ele percebe. Juntas, essas relações implicam uma ligação positiva entre o talento de alguém e quanto ele gasta em carros e roupas. Portanto, pode-se fazer uma estimativa aproximada da competência de alguém examinando o tipo de roupa que a pessoa usa e o tipo de carro que possui.

Essa estimativa é mais apurada no caso de pessoas que desempenham determinadas ocupações. Por exemplo, os advogados competentes são muito procurados e recebem altos honorários, ao passo que os professores universitários mais talentosos em geral ganham um pouco mais que os colegas menos competentes. Portanto, as diferenças nas quantias despendidas em automóveis e roupas são indicativos mais confiáveis do nível de competência de advogados do que no de professores universitários. Um potencial cliente em busca de um advogado hábil teria razão se hesitasse em contratar o dono de um automóvel Geo Metro enferrujado e com dez anos de uso. Por outro lado, um estudante não teria razão alguma para questionar a capacidade de um professor de química que fosse proprietário do mesmo carro.

Se para os potenciais clientes o tipo de carro que um advogado possui é um sinal, mesmo fraco, de sua competência, esses profissionais inevitavelmente tentarão manipular esse indicador gastando na compra de automóveis mais do que normalmente o fariam. No final da consequente corrida consumista os advogados mais talentosos estarão, em média, na posse dos carros mais caros. No entanto, muitos acabarão por gastar mais do que gostariam. Resumindo: os advogados sofrem pressão para gastar com carros e roupas porque sai mais caro enviar sinais equívocos sobre a própria competência. Um advogado que deixe de gastar tanto quanto os colegas parecerá menos competente do que realmente é, assim como um cão que não arrepie os pelos quando for brigar parecerá enganosamente pequeno.

Por outro lado, nenhuma das realizações profissionais que os professores mais valorizam é mais garantida se eles gastarem mais com roupas e automóveis. Os professores universitários querem ver seus artigos publicados nos melhores periódicos e querem que as dotações solicitadas sejam aprovadas. Mas quem decide essas questões em geral não faz ideia de como o professor se veste ou que carro possui

Por que há tanto formalismo matemático na economia?

O uso de modelos matemáticos formais na economia tem uma história longa e notável, que gerou percepções poderosas sobre o funcionamento do mercado. No entanto, desde meados do século XX, o nível de formalismo matemático da economia aumentou muito, levando muitos profissionais da área à conclusão de que ele se tornou excessivo. Será que os economistas se excederam no uso da matemática?

A escalada do formalismo matemático coincidiu com uma competição cada vez mais acirrada pelos empregos acadêmicos. Numa profissão que se orgulha do rigor, é vantajoso ser considerado o mais rigoroso entre dois candidatos. Formular e manipular modelos matemáticos sofisticados não é tarefa para os intelectualmente tímidos. Ao demonstrar essa capacidade, um candidato sinaliza de modo convincente a própria competência. Portanto, os candidatos têm uma evidente motivação para investir tempo e esforço apurando o domínio da matemática.

Porém, aqui, como em outros lugares, a força do sinal depende do contexto. À medida que um número cada vez maior de economistas aumenta o nível de formalismo de seu trabalho, gradualmente se eleva o limiar dos sinais de competência intelectual. A corrida armamentista decorrente pode levar a um formalismo excessivo.

O nível de formalismo matemático na economia, portanto, pode ser muito elevado, pela mesma razão que leva as pessoas a falarem mais alto

Tendo escolhido *f(p, q; α)*, usando-se a equação (8) da seção anterior, a densidade para os indivíduos empregados na data da pesquisa pode ser formalizada como:

$$(30)\quad g(p,q)=\frac{\frac{p}{p+q}}{E(R)}f(p,q)=\frac{k}{E(R)}q^{\alpha_1-1}(1-q)^{\alpha_2-1}p^{\alpha_3}(1-p)^{\alpha_4-1},$$

onde o fato de que $\int_p \int_q g(p,q)=1$ pode ser usado para determinar que

$$(31)\quad E(R)=\frac{\frac{\alpha_3}{\alpha_3+\alpha_4}}{\frac{\alpha_1}{\alpha_1+\alpha_2}+\frac{\alpha_3}{\alpha_3+\alpha_4}}=\overline{R}(\alpha).$$

Empregando a equação (9), a densidade para pessoas empregadas na data da pesquisa pode ser formalizada como

$$(32)\quad h(p,q)=\frac{\frac{q}{p+q}}{1-E(R)}=\frac{k}{1-E(R)}q^{\alpha_1}(1-q)^{\alpha_2-1}p^{\alpha_3-1}(1-p)^{\alpha_4-1}$$ [11]

A densidade para o primeiro grupo etário é dada por

$$(33)\quad m(p,q)=k^{*}q^{\alpha_1}(1-q)^{\alpha_{2-1}}p^{\alpha_3}(1-p)^{\alpha_4-1},$$

Formalismo matemático na economia: o excesso que prejudica?

nas festas. Num espaço cheio de gente, com um nível alto de ruído ambiente, é preciso gritar simplesmente para ser ouvido. Mas quando todos falam alto, o nível de ruído ambiente aumenta, obrigando a falar ainda mais alto.

Por que os professores universitários de ciências humanas, que deveriam ser mais hábeis no uso da linguagem, em geral escrevem com tão pouca clareza?

Os membros da maioria dos grupos exibem grande variabilidade na capacidade de comunicação. Isso se aplica até mesmo aos políticos, cujo sucesso depende muito dessa habilidade. Alguns, como Bill Clinton, são modelos de clareza, enquanto outros, como George W. Bush, muitas vezes são difíceis de entender. Há grupos, porém, cujos membros mostram pouca variabilidade na competência verbal. É muito difícil, por exemplo, tornar-se um professor universitário de ciências humanas sem demonstrar uma facilidade prodigiosa na linguagem escrita e oral. No entanto, nos escritos profissionais desses professores, são frequentes passagens quase ininteligíveis. Por exemplo, em um artigo intitulado "Estratégias táticas de uma prostituta", Maria Lugones escreve:

> Eu me proponho a adotar estratégias táticas direcionadas à quebra da dicotomia, como é crucial para uma epistemologia da resistência/liberação. Fazê-lo implica proporcionar entendimento acerca da desagregação da coletividade concomitante com a fragmentação social, e também teorizar a navegação de seus perigos, sem dar uma compreensão de sua lógica.

Talvez a maioria dos catedráticos de ciências humanas consiga decifrar sem dificuldade essa passagem, mas uma pesquisa informal revela que a maioria não consegue fazê-lo. Por que os escritos dos professores universitários de ciências humanas com tanta frequência são obscuros para o leitor médio?

Uma hipótese é que os modos do discurso das ciências humanas são moldados por forças similares às que moldam o discurso econômico. Assim como é do interesse de um economista parecer rigoroso em comparação com os candidatos concorrentes a um emprego, é do interesse de um professor de ciências humanas parecer erudito. Numa condição inicial em que a maioria dos professores dessas matérias falasse e escrevesse sentenças claras, é fácil imaginar que certo professor poderia ficar em situação vantajosa se introduzisse em seu texto uma ou outra palavra pouco familiar. Afinal, isso daria a impressão de que ele fala com conhecimento de causa, já que, evidentemente, sabe de algo que o leitor ignora.

Evidentemente, não seria bom introduzir um excesso de palavras ou expressões obscuras, porque os leitores se queixariam de que o texto é ininteligível. Porém, à medida que outros gradualmente começassem a introduzir a própria amostra de erudição, muitas das palavras e expressões antes pouco familiares gradualmente se tornariam mais amplamente conhecidas do público profissional. Nesse ponto, um escritor teria de forçar ainda mais a mão para demonstrar erudição. E quando um número cada vez maior fizesse isso, os padrões que definem a inteligibilidade entre os leitores profissionais começariam a mudar. Quando a poeira baixasse — se algum dia isso acontecesse —, não seria surpresa se os textos profissionais dos professores de ciências humanas guardassem pouca semelhança com a língua escrita convencional.

JÁ SE DISSE que existem dois tipos de compradores no mercado: os que não sabem o que estão fazendo e os que ignoram não saber o que estão fazendo. Os compradores do primeiro tipo, às vezes, conseguem limitar as perdas porque levam em consideração o que sua falta de conhecimento sugere sobre a relação entre preço e qualidade. Os dois exemplos a seguir envolvem informações assimétricas. O vendedor tem muito mais conhecimento sobre a qualidade do produto do que o candidato a comprador. Em ambos os casos, o papel do comprador é inferir qual a real qualidade do produto, tomando por base o comportamento observável do vendedor.

Por que automóveis usados "seminovos" custam tão pouco em comparação com os carros novos? *(George Akerlof)*

Quando um carro novo sai da agência, pode instantaneamente perder 20% ou mais do valor. Considerando-se que a vida útil dos carros modernos é de mais de 300.000km, por que alguns quilômetros no odômetro fazem o preço do carro cair tanto?

Parte da queda do preço reflete a diferença entre o preço de atacado e o preço do varejo. Quando um carro é vendido pela primeira vez, o comprador paga o preço de varejo, que pode ser até 15% maior que o preço que o vendedor pagou por ele. Quando compra um carro e resolve vendê-lo imediatamente, um consumidor particular se torna um vendedor de automóveis amador. Evidentemente, ele gostaria de vender o carro pelo valor mais próximo possível do preço original de varejo. No entanto, ao tentar fazê-lo, ele precisa concorrer com uma multidão de comerciantes profissionais que têm agências atraentes, bem iluminadas, e que empregam vendedores e mecânicos experientes. Como é mais fácil um comerciante atrair compradores de automóveis, espera-se que os vendedores amadores façam ofertas mais vantajosas.

Mas há uma segunda razão importante para o fato de carros usados quase novos alcançarem preços muito menores que os de um carro sem uso. Em função de variações nos processos de fabricação e montagem, nem todos os carros novos são igualmente confiáveis quando saem da fábrica. Essas diferenças de confiabilidade são amplificadas pelas diferenças nos cuidados que os proprietários dedicam aos veículos. Embora alguns carros novos sejam verdadeiras bombas, nem mesmo mecânicos treinados conseguem distingui-los de outros mais confiáveis. A consequência é que o dono de um carro usado geralmente tem muito mais informação sobre ele do que o candidato a comprador.

Essa assimetria pode ter importantes implicações na precificação de carros usados. A título de ilustração, imagine que se avalie um carro usado confiável por R$20 mil e um não confiável por R$10 mil; imagine ainda que metade dos carros usados seja confiável, o que leva o valor médio de todos os carros usados para R$15 mil.

Nessas circunstâncias, os carros usados seriam vendidos por muito menos que R$15 mil. Para ver por que, imagine que todos fossem vendidos por R$15 mil. Que tipo de carro usado então seria oferecido? Se as pessoas dão aos carros usados confiáveis o valor de R$20 mil, nenhum proprietário de carro usado confiável iria colocá-lo à venda por menos que isso. Por outro lado, os proprietários de carros usados pouco confiáveis ficariam muito felizes em vendê-los por R$15 mil, já que avaliam esses carros em apenas R$10 mil. Nesse caso, os únicos carros colocados à venda seriam os pouco confiáveis. Portanto, ninguém compraria um carro usado a não ser que o preço fosse muito baixo.

Na verdade, alguns carros usados são vendidos por razões totalmente desvinculadas de sua confiabilidade. Nesses casos, os vendedores fazem o possível para anunciar que fatores alheios à sua vontade os levaram a colocar os carros à venda. ("Fui transferido para Londres, preciso vender meu utilitário Volvo", "Acabo de ter um bebê, preciso vender meu Porsche Boxster.")

Por que os filmes australianos fazem tanto sucesso?

"Breaker" Morant, Picnic na montanha misteriosa, A última onda, Vem dançar comigo, Priscilla, a rainha do deserto, My Brilliant Career, Mad Max, Gallipoli, Moulin Rouge, Walkabout, Lantana, Geração roubada, O ano que vivemos em perigo, O casamento de Muriel, Shine e *Crocodilo Dundee.* O que esses filmes têm em comum?

Todos são filmes australianos que conquistaram plateias numerosas e aprovadoras nos Estados Unidos. A maioria teve um orçamento modesto. Como grupo, eles fizeram muito mais sucesso que os filmes médios americanos, produzidos com orçamentos muito maiores. O que explica o sucesso dos filmes australianos exibidos nos Estados Unidos?

Alguns especulam que a cultura australiana é mais propícia a atividades criativas que a cultura norte-americana. No entanto, vale a pena considerar uma explicação mais simples: os filmes australianos exibidos nos Estados Unidos não são uma amostra representativa de toda a produção australiana recente de filmes.

É mais caro lançar um filme no mercado norte-americano do que em qualquer outro mercado. Só os orçamentos de publicidade muitas vezes superam as dezenas de milhões de dólares. Os executivos da indústria cinematográfica só investem esses valores se houver uma expectativa razoável de que o filme atrairá um público expressivo. Muitos fatores influenciam a decisão de ver determinado filme. Um ator popular ou um diretor conhecido podem levar muitas pessoas a comprar um ingresso. As continuações de filmes populares já começam a carreira com um público cativo. Críticas favoráveis evidentemente ajudam. Porém, o que talvez seja o mais importante é que as pessoas veem filmes porque eles foram recomendados por alguém.

Quando os filmes australianos de nossa lista foram lançados nos Estados Unidos, a maioria dos frequentadores de cinema nunca tinha ouvido falar dos diretores e atores que atuavam neles (embora muitos, como Peter Weir e Mel Gibson, tenham se tornado nomes familiares). E nenhum desses filmes era uma continuação.

Para fazer sucesso nos Estados Unidos, a única esperança desses filmes era ter qualidade suficiente para garantir boas críticas e referências positivas no boca a boca. Dessa forma, a qualidade média dos filmes australianos pode parecer tão alta para o público norte-americano simplesmente porque apenas os melhores filmes daquele continente aportam nas praias dos Estados Unidos.

Os PROBLEMAS ENFRENTADOS pelos indivíduos que tomam decisões econômicas sem contar com boas informações são agravados pelo fato de que a informação à mão nem sempre é o que parece. Às vezes, a informação disponível não é muito esclarecedora. Se, em algumas ocasiões, ela prediz que a qualidade é maior do que aparenta e, em outras ocasiões, prediz que é menor, não há muito que se possa fazer. Às vezes, porém, a informação disponível desenha um quadro sistematicamente enganador. Como mostram os próximos exemplos, nesses casos, os tomadores de decisões econômicas muitas vezes podem lucrar se estiverem conscientes da direção assumida pela informação tendenciosa.

Por que no beisebol os jogadores novatos mais promissores de um ano, em geral, não têm bons resultados na segunda temporada?

Em 2002, o jogador principiante Eric Hinske, defensor da terceira base do Toronto Blue Jays, alcançou a média de tacadas .279, com 24 home runs e 84 RBIs em 151 jogos, um desempenho que lhe rendeu o prêmio de revelação do ano, o American League's Rookie of the Year Award. No entanto, nas duas temporadas seguintes, suas médias foram .243 e .248. Esse padrão não é nem um pouco insólito. Os jogadores que são considerados revelação do ano pela liga principal de beisebol em geral alcançam na primeira temporada resultados que seriam meritórios até para veteranos experientes. No entanto, mesmo contando com a vantagem de um ano de experiência, eles em geral não conseguem alcançar o mesmo desempenho em seu segundo ano nas ligas principais. Esse declínio de produtividade é tão frequente que tem um nome: "colapso do segundo ano". O que explica esse fenômeno?

Uma possível explicação é a necessidade de algum tempo para que os lançadores dos times adversários descubram os pontos fracos de um rebatedor. No entanto, se essa fosse a razão, ela se aplicaria a todos os jogadores de segundo ano, e não apenas aos considerados revelação. No entanto, como grupo, os jogadores alcançam na segunda temporada resultados ligeiramente melhores que os dos calouros.

Uma explicação mais razoável é que o colapso do segundo ano seja apenas uma ilusão estatística. Nem mesmo os melhores jogadores têm desempenhos perfeitamente coerentes. Em algumas temporadas, suas médias de rebatidas e outras estatísticas de ataque são muito mais elevadas que em outros anos. Por definição, somente jogadores que fazem uma temporada excepcional ganham o prêmio de calouro do ano. Desse modo, o segundo ano desses jogadores nas ligas principais vem imediatamente após um ano em que eles podem ter alcançado um desempenho muito melhor do que a média de suas carreiras. Portanto, não é surpresa que os números da segunda temporada sejam um pouco menores.

O colapso do segundo ano é um exemplo daquilo que os estatísticos chamam de regressão à média. Ela ocorre toda vez que o sucesso tem um componente aleatório. Não é sempre que um resultado excepcionalmente bom é seguido por outro mais normal, mas é comum que isso aconteça.

Por que a estratégia de demitir o diretor-executivo de uma empresa que teve um mau desempenho parece tão atraente para os dirigentes dessa organização?

Quando um time profissional de algum esporte tem uma má temporada, em geral o impulso imediato do dono do time é demitir o técnico ou administrador. Da mesma forma, quando uma corporação tem grandes prejuízos, o primeiro impulso do conselho diretor é demitir o diretor-executivo. O fato de que no ano seguinte as equipes esportivas e as corporações costumam ter melhor desempenho sob a nova direção confirma a sabedoria dessa estratégia?

Perder numa temporada esportiva, tal como ter um ano de prejuízo nos negócios, costuma resultar de muitos fatores. O desempenho do líder pode ser responsável em parte, mas se o ano for muito ruim é provável que várias outros fatores desfavoráveis tenham contribuído. Esses fatores, em geral, têm flutuações aleatórias próprias, independentes de quem possa ser o treinador ou o executivo. Se eles foram extremamente desfavoráveis em um ano, é provável que se aproximem mais do centro de sua faixa normal no ano seguinte.

Os novos líderes quase sempre são contratados depois de um ano de maus resultados, logo, podemos esperar ver desempenhos melhores no ano seguinte, mesmo que o novo líder não seja melhor do que o anterior. Essa melhora é apenas outro exemplo de regressão à média. É claro que o líder anterior pode ter atuado muito mal e merecido a demissão. Mas só o fato de o desempenho organizacional ter melhorado logo após essas demissões não é prova de que demitir o gerente tenha sido a decisão correta.

Por que os gerentes tendem a superestimar a eficácia da crítica e subestimar a eficácia do elogio?

Os gerentes durões são rápidos para criticar os empregados que cometem enganos e lentos para elogiar quando esses empregados têm boa atuação. Por outro lado, gerentes apoiadores são rápidos no elogiar e lentos no criticar. Qual estilo é mais eficaz? Como não há uma resposta correta, os novos administradores têm uma tendência natural a experimentar, enquanto desenvolvem um estilo que lhes pareça melhor. Mas essas experiências são intrinsecamente tendenciosas: elas levam muitos gerentes a concluir que o elogio é menos eficaz e a censura mais eficaz do que realmente são. O que explica essa atitude?

A explicação envolve a regressão à média, o mesmo fenômeno estatístico que explica o colapso do segundo ano dos jogadores considerados os melhores do ano. Tal como ocorre com os jogadores de beisebol, os empregados não têm um desempenho uniforme o tempo todo. Em algumas semanas, eles apresentam resultados acima da própria média de longo prazo e em outras semanas ficam abaixo dessa média. Não importa qual a reação da gerência, um empregado que teve desempenho abaixo da média numa semana provavelmente irá melhorar — ter uma atuação mais próxima do normal — na semana seguinte. Por outro lado, quem teve um desempenho acima do próprio padrão numa semana provavelmente cairá um pouco na semana seguinte, quer o gerente elogie, quer não.

O resultado é que os gerentes que fazem críticas severas aos empregados depois de um desempenho inferior podem erroneamente atribuir a essas críticas a melhora subsequente do desempenho (que teriam ocorrido de qualquer forma). Por outro lado, os gerentes que elogiam os empregados após um desempenho superior podem erroneamente interpretar o declínio subsequente (que teria ocorrido de qualquer maneira) ao estilo gerencial leniente.

Experiências mostram que, pelo menos em alguns ambientes, um estilo gerencial apoiador tem mais possibilidade de suscitar bons desempenhos dos empregados que um estilo muito crítico. Esses resultados de experiências podem ser mais confiáveis que as impressões ocasionais tendenciosas por causa da regressão à média.

O ÚLTIMO EXEMPLO DESTE capítulo ilustra como o princípio do custo-benefício às vezes pode nos ajudar a entender informações que parecem sem sentido.

Por que as lojas colocam na vitrine cartazes declarando ser permitida a entrada de cães-guia? *(Maurice Hernandez)*

Muitas lojas colocam na vitrine avisos que explicam aos clientes as políticas do estabelecimento. Alguns, por exemplo, não autorizam a entrada de clientes descalços ou sem camisa, e é cada vez mais comum ver lojas proibirem o fumo ou a entrada de animais de estimação. Quando os animais de estimação são proibidos de entrar, as lojas quase sempre acrescentam uma nota declarando que cães-guia são permitidos. Como nem esses cães, nem seus donos, conseguem ler os cartazes, por que exibi-los?

Os clientes que enxergam não possuem cães-guia, portanto não têm necessidade de saber que a entrada desses animais é permitida. Mesmo assim, pode ser vantajoso para o dono do negócio informar esses clientes sobre a autorização de entrada de cães-guia. Alguns talvez vejam um cachorro dentro da loja e, não reconhecendo o animal como um cão-guia, podem concluir erroneamente que a loja é negligente na aplicação da política de proibição de animais. Outros podem considerar absurda a exclusão de todos os animais de estimação, porque discriminaria os deficientes visuais.

A magnitude desses benefícios pode ser pequena, mas os próprios cartazes, que, em geral, são reproduções, praticamente não custam nada. Portanto, faz sentido exibi-los, mesmo que gerem benefícios mínimos.

8

O naturalista da economia cai na estrada

Os detalhes da vida econômica são diferentes em países distintos. Por exemplo, no Japão as casas são substancialmente menores que nos Estados Unidos. Embora essas diferenças costumem ser atribuídas à cultura, isso nos leva a perguntar por que as culturas diferem. Serão essas diferenças simples o resultado de variações arbitrárias nos costumes, surgidas há milhares de anos? O psicólogo Jerome Kagan propõe que muitas normas culturais podem ser vistas de maneira mais produtiva como adaptações ao conjunto de problemas que as pessoas enfrentam em épocas e locais diferentes. Ele observa que nas sociedades com alto índice de mortalidade infantil as culturas tendem a dar valor ao estoicismo e ao desapego; as que fazem guerra com frequência valorizam a coragem e assim por diante.

No espírito da visão de Kagan, este capítulo examina as diferenças no comportamento internacional, decorrentes das disparidades nos respectivos custos e benefícios. Uma das diferenças mais óbvias entre os países é a renda per capita. Indivíduos com rendas diferentes, em geral, fazem escolhas diferentes, seja qual for seu ambiente cultural.

Por que na maioria dos países asiáticos o envio de mensagens de texto é mais comum que nos Estados Unidos? *(Vivek Sethia, Kalyan Jonnalagadda)*

Quem viajar para qualquer país asiático verá pessoas de todas as idades digitando ativamente mensagens de texto em seus telefones celulares. No entanto, nos Estados Unidos e na Europa, o uso de mensagens de texto é bem menos frequente. O que explica essa diferença?

Como até recentemente muitos países asiáticos dispunham de redes de telefonia convencional menos desenvolvidas que a dos Estados Unidos, o uso de telefone celular naqueles países se disseminou mais cedo. As mensagens de texto consomem menos largura de banda que as mensagens de voz, portanto podem ser oferecidas por tarifas mais baixas. Com exceção do Japão, os países asiáticos têm renda per capita significativamente inferior à dos Estados Unidos, portanto eles têm mais tendência a comprar planos de telefonia com mensagem de texto.

Como pode testemunhar qualquer pessoa que tenha tentado fazê-lo, enviar mensagens de texto do teclado de um telefone celular é uma habilidade que custa tempo e esforço para ser adquirida. Por terem acumulado grande experiência com esse modo de comunicação, os primeiros usuários asiáticos continuaram a explorar essa habilidade, embora muitos já possam se permitir usar a comunicação de voz. Os americanos, mais afluentes, tendo desde o início começado pela comunicação de voz, têm pouco incentivo para fazer o esforço de adquirir proficiência no uso de mensagens de texto.

Alguns podem discordar dessa explicação considerando que as mensagens de texto são comuns em pelo menos alguns outros países — como, por exemplo, a Finlândia —, que há muito tempo contam com uma rede de telefonia convencional bem desenvolvida. Mas talvez a afinidade dos finlandeses com a mensagem de texto venha do caráter nacional, famoso por ser pouco gregário. "Como podemos identificar um finlandês extrovertido?", pergunta o engraçadinho. "É fácil, é a pessoa que está olhando para *seus* pés."

Por que a proporção de latas de alumínio recicladas no Brasil é muito maior do que nos Estados Unidos? *(Luiz Fernando, Varga Buzolin)*

Nos Estados Unidos, os consumidores de 11 estados pagam um depósito de US$0,05 ou mais para cada lata de alumínio de bebida que compram. Os serviços públicos frequentemente fazem campanha tentando convencê-los a reciclarem as latas de bebida. Para recuperar os depósitos, basta devolver as latas no centro de reciclagem mais próximo. A maior parte das lojas de gêneros alimentícios e muitos outros lugares recebem as latas recicláveis. Contudo, são recicladas apenas pouco mais da metade dos 70 bilhões de latas de alumínio vendidas anualmente nos Estados Unidos. Boa parte do restante vai parar nos aterros sanitários. Por outro lado, não se cobram depósitos sobre as latas de alumínio de bebidas vendidas no Brasil, nem há centros de reciclagem em locais convenientes. O governo brasileiro não faz uma campanha pública tentando convencer os consumidores a reciclar as latas usadas. No entanto, quase 90% das latas de alumínio de bebidas vendidas no Brasil são recicladas todos os anos. Por que os brasileiros reciclam muito mais do que os norte-americanos?

Embora o Brasil não tenha um sistema de depósito ou centros de reciclagem à mão, as latas de alumínio de bebidas podem ser vendidas a empreendedores que as derretem e vendem o alumínio recuperado. Como a renda média do Brasil é menos de 20% da renda média dos Estados Unidos e há níveis de pobreza consideráveis, quase 200 mil brasileiros ganham a vida tendo por atividade principal a recuperação de latas de alumínio. Em comparação, muitos norte-americanos acham que não vale a pena entrar numa fila no centro de reciclagem, portanto suas latas usadas, em geral, acabam sendo jogadas em aterros sanitários. De acordo com Pat Franklin, do Container Recycling Institute, nas duas últimas décadas esses refugos chegaram a 11 milhões de toneladas de latas de alumínio, com um valor estimado de US$12 bilhões.

Embora nos Estados Unidos as leis de depósito não tenham produzido uma reciclagem universal, elas têm pelo menos um efeito: as latas de alumínio que são jogadas no lixo em locais públicos são quase imediatamente recolhidas por catadores. No entanto, ao contrário do que ocorre com os catadores brasileiros, poucos norte-americanos buscam as latas em aterros sanitários, o que é ilegal em muitas jurisdições dos Estados Unidos.

EMBORA NA ÁSIA a renda média seja menor do que a dos Estados Unidos e da Europa, como a densidade populacional é maior naquele continente, os preços de terra em muitos países asiáticos tendem a ser muito mais elevados. Essas diferenças de preço trazem consequências interessantes para a indústria do entretenimento.

Por que os cinemas da Coreia do Sul e de muitos outros países asiáticos reservam lugares, enquanto nos Estados Unidos os cinemas não têm lugares marcados? *(Gloria Kim)*

Os espectadores de cinema em Seul, na Coreia do Sul, compram ingressos para poltronas específicas dentro do cinema. Seus pares em Chicago, Illinois, podem sentar-se em qualquer lugar vago, num sistema em que quem chega primeiro tem a preferência. Por que essa diferença?

Em qualquer lugar, poltronas reservadas envolvem custos. Por exemplo, os bilheteiros precisam perguntar aos clientes que assento desejam e é preciso haver empregados que orientem os clientes ao local correto e que resolvam os conflitos quando duas pessoas disputam o mesmo lugar. Como esses custos são aproximadamente os mesmos em todo o mundo, essa diferença entre os países provavelmente se baseia nas diferenças dos benefícios da prática de reservar lugares.

Em cidades de mesma população, um filme é exibido em cinemas muito mais vezes nos Estados Unidos do que na Ásia. Sessões mais constantes beneficiam os frequentadores de cinema de pelo menos duas formas: eles têm mais probabilidade de encontrar um filme em um horário que lhes seja conveniente e os cinemas em geral terão número significativamente maior de lugares vagos em cada projeção, o que torna mais fácil para um cinéfilo decidir de última hora ver um filme.

Já nos países asiáticos as exibições são menos frequentes porque a renda média da população é mais baixa e o preço da terra é mais alto, em relação às cidades dos Estados Unidos. Projeções mais frequentes aumentam os custos e as pessoas com renda mais baixa naturalmente estão menos dispostas a pagar pelo conforto que elas proporcionam. Como na Ásia os terrenos são mais caros, construir cinemas é mais dispendioso, o que limita ainda mais o número de sessões.

A consequência é que, com tão poucas sessões, os cinemas asiáticos quase sempre estão lotados. Quando os frequentadores de cinema acham que os ingressos para um filme se esgotarão, sua reação natural é chegar cedo para ter certeza de conseguir um lugar O resultado inevitável é formar-se uma longa fila de espera antes da hora da sessão. Como as filas não contribuem em nada para aumentar a disponibilidade de lugares, o tempo que as pessoas passam nelas é, do ponto de vista da coletividade, desperdiçado. No entanto, qualquer indivíduo que se recusasse a fazer fila nunca conseguiria ver um filme. (Esse é outro exemplo do conflito entre os interesses individuais e os coletivos.)

A reserva de lugares é uma solução simples para esse problema. Quando os usuários podem comprar com grande antecedência lugares reservados, todo mundo tem certeza de conseguir um assento sem ter de ficar horas em pé numa fila para comprá-lo.

Por que nos Estados Unidos os cinemas do tipo multiplex permitem aos frequentadores assistir a mais de um filme com o mesmo ingresso, enquanto nos multiplex asiáticos só se pode ver um filme por ingresso? *(Frank Fu)*

Embora não anunciem esse fato, a maioria dos cinemas nos Estados Unidos não impede os clientes de ver mais de um filme com um só ingresso. Uma vez tendo mostrado o ingresso ao recepcionista na entrada do complexo de cinemas, em geral não se passa por mais verificações. Tendo assistido ao filme desejado, o espectador está livre para ver um segundo ou até mesmo um terceiro filme, sem custo adicional. Por outro lado, na maioria dos complexos de cinema da Ásia, os ingressos são cuidadosamente conferidos na entrada de cada sala de projeção. Por que essa diferença?

Uma explicação possível começa pela observação, discutida no exemplo anterior, de que nos cinemas dos Estados Unidos, em geral, vários lugares ficam vagos em cada sessão, ao passo que os cinemas asiáticos estão sempre lotados. Portanto, se um espectador norte-americano quiser ver um segundo filme sem comprar outro ingresso, não impedirá ninguém de ver aquele filme. Em um cinema asiático, porém, se alguém quiser ver o segundo filme sem comprar outro ingresso, impedirá outros de vê-lo.

O benefício de evitar que as pessoas vejam mais de um filme com um único ingresso, portanto, é maior nos cinemas lotados da Ásia que nos cinemas meio vazios dos Estados Unidos. Como custa caro contratar empregados para verificar os ingressos em todas as sessões, os gerentes dos cinemas asiáticos têm mais uma motivação para persistir nessa restrição.

Também é possível que, ao evitarem aplicar a regra de apenas um filme por ingresso, os gerentes de cinema dos Estados Unidos estejam aumentando a receita de venda de ingressos. Apesar de não haver verificação do ingresso na entrada de cada sala de projeção nos cinemas norte-americanos, a maioria dos espectadores só vê um filme por visita. A questão é saber se os raros frequentadores que decidem ver mais de um filme teriam comprado ingressos se não pudessem ver vários filmes. Caso não comprassem, o fato de não ser aplicada a regra de um filme por ingresso aumenta a receita total em ingressos.

Em outras palavras, o fato de não se aplicar uma política pode ser apenas outra forma de discriminação de preço. As pessoas que se dispõem a violar a regra de um filme por ingresso provavelmente são mais sensíveis ao preço, em média, que os outros espectadores. A não aplicação da política pode então funcionar como uma barreira simples que permite aos gerentes de cinemas dar um desconto para esses espectadores, sem diminuir os preços para todo mundo.

De qualquer forma, a receita extra obtida com as visitas desses frequentadores ao balcão de lanchonete provavelmente anula as perdas na venda de ingressos causada por quem vê vários filmes.

TAL COMO ILUSTRA O PRÓXIMO EXEMPLO, outras diferenças interessantes entre países podem ser causadas por variações no custo de oportunidade de se dedicar a várias ocupações.

Por que os homens norte-americanos têm tão pouco sucesso nas competições internacionais de futebol? E por que as mulheres têm se saído muito melhor? *(Dave Decker)*

No século passado, os Estados Unidos ficaram sistematicamente entre os primeiros colocados no total de medalhas de ouro olímpicas, masculinas e femininas. Nos últimos anos, as mulheres dos EUA têm colhido resultados notáveis nas competições mundiais de futebol. Mas os times de futebol masculinos do país têm tido muito menos sucesso. Por que essa diferença?

Antes de 1960, o futebol raramente era jogado nas escolas dos Estados Unidos, muito menos no nível profissional. Embora o jogo tenha conseguido mais penetração no país desde então, ele continua a ser um esporte secundário. O futebol americano, o beisebol, o basquetebol e o hóquei, que há muito tempo pagam aos atletas profissionais salários anuais de sete dígitos, competem vigorosamente pela atenção dos jovens atletas mais talentosos. Consequentemente, o futebol dos Estados Unidos sempre se abasteceu em um acervo limitado de talentos.

Por outro lado, o futebol é o esporte masculino dominante em outros lugares do mundo. Na maioria dos países, todo jovem atleta talentoso sonha em se tornar uma estrela do futebol. Os times de futebol masculino dos Estados Unidos perdem na competição internacional porque os times rivais de outros países puderam escolher entre os melhores aspirantes a atletas.

As mulheres norte-americanas se acham numa situação mais favorável internacionalmente, já que em muitos países a participação feminina nas atividades atléticas é limitada. Nos EUA, porém, a legislação denominada Title IX exige que os programas atléticos escolares tenham paridade nos dispêndios para meninos e meninas. Como no país não há ligas de esportes profissionais com altos salários para mulheres, as atletas femininas mais talentosas não foram atraídas pela prática de outros esportes.

Embora muitas diferenças interessantes de comportamento entre nações resultem de preços e rendas, algumas podem com mais razão ser atribuídas a variações nas escolhas de política econômica.

Por que o índice de desemprego da Alemanha é tão maior que o dos Estados Unidos? *(Martin Mehalchin)*

Embora na maioria dos países a taxa de desemprego varie de um mês para o outro, também há diferenças persistentes entre países. Nos Estados Unidos, por exemplo, o índice de desemprego é consistentemente mais baixo que o da maior parte dos países europeus. Em setembro de 2006, ele correspondia a 4,6% nos Estados Unidos, porém a 8,7% na Alemanha. Por que o índice de desemprego alemão é tão mais alto?

Uma maneira de analisar a questão é examinar as diferenças nos custos e benefícios individuais de estar desempregado nos dois países. Em comparação com os cidadãos da maioria dos países desenvolvidos, os norte-americanos precisam contar mais com o emprego para atender às necessidades econômicas básicas. Por exemplo, nos Estados Unidos o seguro-saúde é provido principalmente pelos empregadores, mas na Alemanha ele é obrigação do Estado. Embora os Estados Unidos tenham um sistema de seguro-desemprego que ajuda a sustentar os trabalhadores que perdem o emprego, o valor dos pagamentos é menor e o benefício expira mais depressa que na Alemanha. Nesse país, as bolsas de assistência social à população de baixa renda também são mais generosas e menos restritivas do que nos Estados Unidos.

A maioria dos alemães, tal como a maioria dos norte-americanos, tem um emprego estável e parece feliz com ele. Mas as condições para os desempregados são muito diferentes nos dois países. Os norte-americanos sem emprego têm dificuldade para se sustentar. Por outro lado, o desempregado na Alemanha se qualifica para uma ajuda do governo que pode satisfazer indefinidamente suas necessidades básicas.

Para resumir, o custo de oportunidade de não trabalhar é menor na Alemanha que nos Estados Unidos e essa diferença ajuda a explicar por que os desempregados alemães podem se permitir ter mais paciência e ser mais seletivos na busca pelo emprego ideal.

Por que os consumidores dos Estados Unidos pagam pelo açúcar mais do que o dobro do preço internacional? *(Thomas Pugel)*

Em 2005, os norte-americanos pagaram uma média de US$0,44 pelo quilo do açúcar não refinado, enquanto o preço médio do mercado internacional era apenas US$0,20. O que explica essa grande diferença de preço?

A resposta resumida é que os Estados Unidos impõem uma tarifa superior a 100% sobre o açúcar importado. Porém, isso nos leva a perguntar por que os congressistas estabelecem políticas que custam a seus eleitores em torno de US$2 bilhões por ano. Uma resposta plausível começa pela observação de que os interesses dos eleitores diferem dos interesses dos produtores domésticos de açúcar.

Como uma família típica costuma gastar com açúcar apenas a fração irrisória de 1% da renda, poucos eleitores se dão ao trabalho de se queixar a seus representantes eleitos sobre o alto preço desse produto. Na verdade, a maioria dos eleitores provavelmente nem se dá conta de que há um imposto sobre o açúcar importado.

As motivações dos produtores são muito diferentes. Por exemplo, estima-se que a tarifa sobre o açúcar aumente o lucro anual de um grande produtor da Flórida em US$65 milhões. Com valores tão altos em jogo, os usineiros não só escrevem cartas, mas contratam lobistas experientes para defender-lhes os interesses. Mais importante ainda: eles fazem substanciais contribuições para as campanhas eleitorais dos congressistas que apoiam o imposto sobre o açúcar.

Os produtores ganham menos que a metade do custo imposto aos consumidores, mas o apoio político à revogação da tarifa é escasso porque seus benefícios são concentrados e os custos são altamente diluídos.

Por que na Europa os motores de automóveis são muito menores do que nos Estados Unidos?

A BMW vende seu sedã 5 Series em todo o mundo. Na Europa, muitos motoristas escolhem o motor 1.6 com quatro cilindros, mas a menor opção disponível nos Estados Unidos é o motor 3.0 com seis cilindros. Em geral, os carros vendidos na Europa têm motores com muito menos cilindradas e menos cilindros que os carros vendidos nos Estados Unidos. Por que os europeus compram carros com motores menos potentes?

Motores menores no mercado europeu: consequência da tarifação da gasolina?

Pode-se pensar que na Europa as estradas muito movimentadas tornam os carros mais possantes menos úteis que nos Estados Unidos. No entanto, na maior parte das autoestradas europeias, a velocidade não é limitada, e é comum se verem motoristas de Porsches e Ferraris trafegando a 250km/h.

É claro que esses motoristas não precisam preocupar-se com dinheiro. O europeu médio tem mais probabilidade que o americano médio de preferir automóveis com motores menos potentes porque na Europa a gasolina é pesadamente tarifada. Em anos recentes, por exemplo, o preço médio do litro de gasolina, com todos os impostos incluídos, tem sido quase duas vezes maior na Europa que nos Estados Unidos. Outro fator determinante é que alguns países europeus cobram sobre os automóveis taxas parcialmente baseadas na cilindrada.

Os europeus escolhem motores menores não porque não gostem de carros rápidos, mas porque o ônus de usar um motor possante é muito elevado.

Por que a proporção de carros novos e luxuosos vendidos em Cingapura é maior do que nos Estados Unidos? *(Jacqueline Chien)*

A renda média em Cingapura é aproximadamente um terço mais baixa do que a dos Estados Unidos e as distribuições de renda em ambos os países são surpreendentemente similares. No entanto, a BMW, a Mercedes e outros fabricantes de carros de luxo contam com uma fatia muito maior de mercado em Cingapura. Por que os cingapurianos compram mais carros de luxo?

Em consequência da alta densidade populacional de Cingapura, o governo daquele país adotou medidas agressivas para conter a poluição e o congestionamento. Por exemplo, estruturou um sistema eficiente de transporte público e impôs taxas de licenciamento substanciais sobre os automóveis. Para os propósitos presentes, três aspectos das taxas de licenciamento de Cingapura são importantes. Em primeiro lugar, elas são bastante elevadas, superando em muito o preço básico até mesmo do carro de luxo mais caro. Em segundo lugar, componentes importantes da taxa não dependem do preço do carro adquirido; são iguais para um BMW 745i Cross e para um Honda Civic, embora o BMW custe cinco vezes mais que o Honda. Finalmente, as taxas sobre os veículos antigos são muito mais altas do que sobre os novos, pelo fato de que a tecnologia de controle de poluição dos automóveis tem melhorado sistematicamente. Ao cobrar taxas mais altas sobre automóveis mais velhos e que poluem mais, o governo dá aos motoristas um incentivo para comprar carros mais novos e que poluem menos.

Por causa dessas taxas de licenciamento ter um automóvel é tão caro que uma proporção muito pequena dos habitantes de Cingapura possui carro, em comparação com os Estados Unidos. Os cingapurianos de baixa e média renda em geral fazem uso exclusivamente do transporte público, e a propriedade de automóveis é restrita aos relativamente ricos. Outra consequência é que, enquanto os compradores nos Estados Unidos pagam por um carro de luxo cinco vezes mais do que por um carro econômico, o fator de multiplicação correspondente em Cingapura costuma ser inferior a três.

Resumindo: como a taxa de licenciamento dos automóveis é muito mais alta para os carros velhos, isso explica por que a proporção de carros novos nas estradas de Cingapura é maior que a proporção correspondente nos Estados Unidos. Como essas taxas elevadas restringem a posse de carros aos ricos, e como o preço (com impostos e taxas) dos carros de luxo é baixo em relação ao preço dos carros econômicos, a proporção de carros novos e luxuosos nas estradas é muito maior em Cingapura.

Por que em Roma os pedestres são multados se atravessarem a rua com o sinal fechado para eles mas em Nova York isso não acontece? *(Jose Weiss)*

Qualquer pessoa que tenha visitado Manhattan pode comprovar que, na Big Apple, os pedestres dão pouca atenção ao sinal de trânsito. Se houver a menor oportunidade, eles cruzarão a rua, mesmo que o sinal esteja aberto para os automóveis. E fazem isso bem à vista dos patrulheiros, sabendo que, embora cruzar a rua com o sinal fechado seja proibido por lei, os transgressores nunca são multados. Em Roma, por outro lado, a polícia habitualmente multa os transgressores, o que torna essa violação da lei relativamente rara naquela cidade. Por que essa diferença?

Se a tarefa fosse explicar por que quem atravessa a rua com o sinal aberto é multado em Berlim, a resposta razoável seria que os alemães são famosos por imporem todo tipo de regra. Mas isso raramente pode ser dito a respeito dos italianos.

No entanto, há uma diferença gritante entre as condições do tráfego em Nova York e em Roma, o que pode ajudar a explicar a diferença na aplicação dessa política. Em Nova York, praticamente todo o tráfego urbano consiste em carros e caminhões. Se um pedestre passar na frente de um carro ou de um caminhão, é provável que seja gravemente ferido ou morto, mas provavelmente não causará dano físico ao motorista do veículo. Por outro lado, grande parte do tráfego de Roma é composto por bicicletas e motonetas. Em Roma, quem atravessa fora da faixa ou com o sinal aberto corre menos risco que em Nova York, mas tem mais possibilidade de pôr em risco a vida alheia.

Em última análise, a diferença na prática de aplicar multas pode ser consequência indireta das diferenças nas políticas tarifárias. A pesada taxação sobre a gasolina e sobre os veículos italianos explica por que há mais bicicletas e motonetas circulando em Roma do que em Nova York; portanto, na Itália as leis contra cruzar fora da faixa ou com o sinal fechado são levadas mais a sério.

O PRÓXIMO EXEMPLO traz-nos à atenção uma interessante diferença na forma como produtos aparentemente similares são vendidos em países diferentes.

Por que o formato do DVD usado nos Estados Unidos é diferente do usado na Europa e em outros lugares, ao passo que os formatos de CD são os mesmos em todos os países? *(Valerie Bouchereau)*

Se um turista francês em visita a parentes em Nova York trouxer como presente um DVD comprado em Paris, irá rapidamente descobrir que os aparelhos de reprodução de DVDs dos Estados Unidos não conseguem ler esse disco. Da mesma forma, se ele comprar um DVD em Nova York, ficará desapontado ao descobrir que o aparelho francês não lê o disco norte-americano. Com os CDs, no entanto, esse problema nunca surge.

Um CD comprado em qualquer país do planeta pode ser lido facilmente por um aparelho de som vendido em qualquer outro país. Por que os vendedores de DVD empregam múltiplos formatos e os de CD não fazem o mesmo?

Uma resposta plausível é sugerida pela observação de que os estúdios de cinema têm dois produtos para vender ao mercado de massa — as exibições em cinemas e os DVDs —, ao passo que as gravadoras só têm um produto, o CD. O que esses três produtos têm em comum é o fato de que o custo marginal de atender a mais um cliente é muito baixo. Para a maioria dos filmes exibidos em cinemas, por exemplo, em pelo menos algumas sessões existem lugares vagos. E, uma vez que um filme ou um álbum musical seja produzido, gravar mais um CD ou DVD custa centavos. O fato de que os estúdios de cinema têm dois produtos para vender lhes dá motivo para adotar uma estratégia de marketing diferente.

A meta de todo vendedor é conseguir que os compradores paguem o máximo possível por seu produto. Como já observamos, uma forma de alcançar esse fim é oferecer um desconto, mas somente se o consumidor estiver disposto a vencer um obstáculo. Uma barreira particularmente útil para os estúdios de cinema é cobrar altos preços pelos filmes exibidos em salas de projeção, mas cobrar um preço mais baixo pelo DVD colocado à venda vários meses depois. Dessa forma, uma família norte-americana de quatro pessoas pode pagar US$40 para ver um filme no cinema, logo após o lançamento, mas quem se dispuser a esperar pode alugar um DVD por US$3 e ver o filme em casa. Lançar o DVD na mesma época do lançamento do filme no cinema comprometeria a venda de ingressos caros para as salas de projeção.

Os estúdios costumam programar a data de lançamento do filme nos diversos mercados internacionais mais importantes, de modo que os atores possam fazer excursões de divulgação imediatamente antes do lançamento do filme em cada mercado. Assim, um estúdio pode lançar um filme nos Estados Unidos em setembro, na Europa em fevereiro e na Ásia em junho. Se os formatos de DVDs fossem os mesmos em todo o mundo, e o filme em DVD fosse liberado nos Estados Unidos em fevereiro, os consumidores da Europa e do Japão poderiam alugá-lo em uma locadora que o comprasse pela Amazon.com, vendo o filme simultaneamente com os vizinhos que foram ao cinema pagando um preço mais alto. Ter formatos diferentes de DVD para países diferentes é uma forma de tentar evitar isso.

Pode parecer que as empresas de música teriam motivo para fazer o mesmo. Afinal, programar o lançamento dos CDs para datas diferentes nos mercados internacionais permitiria aos músicos fazerem concertos nesses países na época de lançamento do CD. Mas, enquanto as empresas cinematográficas lucram tanto com ingressos de cinema quanto com DVDs, as gravadoras só ganham em cima da venda dos CDs. Quando uma banda sai em excursão, o dinheiro da venda dos ingressos vai diretamente para os músicos, não para as gravadoras, que não têm nada a ganhar se tentarem impedir os CDs de circularem livremente através das fronteiras nacionais.

ALGUMAS DIFERENÇAS INTERNACIONAIS não têm como origem as variações de renda, o preço ou a política econômica, mas as diferenças nas motivações causadas por costumes sociais diferentes.

Por que os casais japoneses gastam mais em festas de casamento que os casais norte-americanos? *(Tsutomu Ito)*

Em média, os casais japoneses gastam mais do que duas vezes o que os casais norte-americanos gastam para celebrar o casamento. Embora o dispêndio por convidado seja maior no Japão do que nos Estados Unidos, a principal explicação para a diferença de custo é que os casais japoneses tendem a convidar mais pessoas. Por que as festas de casamento japonesas são tão maiores?

Os casais japoneses, em geral, celebram seus casamentos na presença de uma extensa rede de colegas de trabalho, empregadores e outros membros da comunidade. Políticos locais muitas vezes são convidados, mesmo que não conheçam pessoalmente os noivos. As listas de convidados, com frequência, somam de trezentos a quinhentas pessoas, mesmo nos casamentos de pessoas de renda média.

Os casais japoneses convidam uma gama tão vasta de pessoas porque a sociedade conta fortemente com redes informais, sociais e de negócios. Um forte envolvimento com a harmonia social (*wa*) é um ingrediente essencial para que se mantenha a posição nessas redes. Deixar de convidar para um casamento alguém que espere ser convidado cria o risco de uma ruptura que prejudica a posição do indivíduo na sociedade. As longas listas de convidados dos casamentos japoneses podem ser vistas como um investimento na manutenção de redes sociais e comerciais importantes. Essas redes também existem nos Estados Unidos, mas costumam ser muito menos importantes que no Japão.

Grandes festas de casamento: investimento em redes sociais e de negócios?

9

O encontro da psicologia com a economia

Embora os economistas costumem partir do princípio de que os indivíduos são racionais e bastante egocêntricos, o campo emergente da economia comportamental desafia esses pressupostos. Por exemplo, damos gorjetas até mesmo em restaurantes aos quais não iremos voltar, e nossas decisões muitas vezes são influenciadas por informações claramente irrelevantes.

Grande parte do trabalho pioneiro da economia comportamental foi realizada por dois psicólogos israelenses, Daniel Kahneman e o falecido Amos Tversky. Em um experimento, eles pediram a um grupo de estudantes universitários para estimar o percentual de nações africanas que são membros da ONU. A maioria dos estudantes não sabia a resposta, mas a tarefa era produzir um número. O truque do experimento foi fazer com que cada estudante, antes de ser formulada a pergunta, girasse uma roleta que tinha a probabilidade uniforme de parar em qualquer número entre 1 e 100. Os estudantes certamente sabiam que o número sorteado não tinha qualquer relação lógica com a resposta à pergunta. No entanto, os que sortearam um número de 1 a 10 responderam com uma estimativa média de 25%, enquanto os que sortearam 65 ou mais responderam com uma estimativa média de 45%.

Grande parte da economia comportamental focalizou esse tipo de erro cognitivo. Os primeiros exemplos deste capítulo ilustram a forma como os indivíduos, às vezes, tomam por base a informação errada quando precisam tomar decisões e, em outros casos, extraem da informação correta inferências erradas.

Por que a Cornell University tem fama de ter um alto índice de suicídios de alunos quando, na verdade, seu índice é bem inferior à média nacional de suicídios de estudantes universitários? (*Jason Tagler*)

A Cornell University tem um índice de suicídios igual a 4,3 por 100 mil estudantes-ano, correspondendo a menos da metade da média nacional de suicídios de estudantes universitários. No entanto, há muito tempo pensa-se que a Cornell tem um índice de suicídios anormalmente alto. Por que essa discrepância?

De acordo com Kahneman e Tversky, os indivíduos usam a heurística, o raciocínio baseado em regras essencialmente empíricas, para fazer estimativas sobre eventos do mundo. Por exemplo, quando tentam estimar a frequência de algum acontecimento, as pessoas geralmente usam a heurística da disponibilidade, segundo a qual um evento é mais frequente se exemplos dele são mais fáceis de lembrar. Na média, a heurística da disponibilidade funciona razoavelmente bem porque é mais fácil lembrar exemplos de acontecimentos que ocorrem com mais frequência.

No entanto, a frequência não é o único fator que nos leva a lembrar os acontecimentos. Outra é a proeminência, e aqui encontramos uma explicação razoável para o motivo pelo qual o índice de suicídios da Cornell é superestimado. Nas outras universidades, os estudantes em geral utilizam meios menos dramáticos para se matar, como tomar excesso de tranquilizantes. Mas a Cornell University tem dois lados cercados por fundas ravinas glaciais, e muitos dos suicídios se dão quando estudantes saltam das pontes que cruzam essas ravinas. O trânsito em torno das pontes pode ficar retido durante horas enquanto as equipes de resgate, utilizando equipamento de alpinismo, descem ao fundo da ravina para recuperar o corpo. Portanto, quando as pessoas se perguntam se a Cornell tem alto índice de suicídios, a tendência é responder afirmativamente porque é muito fácil recordar exemplos. A menos que se conheça a vítima, em geral ninguém se lembra de exemplos de suicídio por overdose de medicamentos.

Por que os corretores imobiliários geralmente mostram aos clientes duas casas quase idênticas, embora uma seja mais barata e esteja em condições melhores que a outra?

Um comprador está tendo dificuldade para se decidir entre duas casas. A primeira é uma casa de campo em condições impecáveis, ao preço de R$600 mil, e a outra é uma residência urbana, recentemente reformada, que custa R$560 mil. Ele está mais inclinado por comprar a casa urbana. Então, o corretor marca uma visita a uma segunda casa de campo, que está em condições um pouco piores que a primeira e está sendo vendida por R$640 mil. Quando estão voltando dessa visita, o comprador anuncia a intenção de ficar com a primeira casa de campo. O que levou o corretor a pensar que seria uma boa ideia mostrar ao comprador a segunda casa de campo?

Esse episódio nos lembra a história do homem que pergunta à garçonete de uma lanchonete que tipo de sanduíche é servido ali.

— Temos de salada de frango e de rosbife — responde a garçonete. O cliente pede um sanduíche de rosbife. A garçonete então acrescenta:

— Ah, eu esqueci, também temos de atum.

— Nesse caso, vou querer o de salada de frango — responde o cliente.

Ao mudar o pedido, o cliente violou um axioma fundamental da teoria da escolha racional: o fato de se acrescentar um elemento inferior a uma lista de opções não deve alterar a opção escolhida. A escolha inicial do cliente sugere que ele prefere rosbife a salada de frango, preferência que não deveria mudar quando o atum é acrescentado à lista de opções.

No entanto, como mostraram Itamar Simonson e Amos Tversky, essas reversões de preferência na verdade são comuns. O que parece acontecer é que, em geral, temos dificuldade em escolher entre duas opções difíceis de comparar. Cada uma delas tem atributos atraentes, e relutamos em escolher uma por medo de mais tarde nos arrependermos de não ter escolhido a outra. Nessas situações, argumentam Simonson e Tversky, a apresentação de uma nova opção aparentemente irrelevante pode causar efeito considerável.

O cliente do corretor de imóveis não conseguia se decidir entre a casa de campo neoclássica e a residência vitoriana. No entanto, ele não sofreu a mesma ansiedade quando foi preciso comparar a primeira casa de campo com a segunda, porque esta é inferior em qualidade e preço. A vitória fácil da primeira casa de campo nessa comparação cria um efeito que se sobrepõe à comparação com a residência vitoriana.

De acordo com a tradicional teoria da escolha racional, mostrar a segunda casa de campo deveria ser uma total perda de tempo. Na prática, porém, essas táticas sempre são eficazes.

Por que a Victoria's Secret põe à venda um sutiã rebordado com pedras preciosas, de milhões de dólares, que ninguém jamais comprará? *(Stephanie Wenstrup)*

Há uma década, anualmente, o catálogo de Natal da empresa Victoria's Secret tem dado destaque a um presente particularmente caro. A série começou em 1996, com a modelo Claudia Schiffer fotografada com o sutiã Miracle Bra, bordado com diamantes, no valor de US$1 milhão. No ano seguinte, Tyra Banks chegou de carro blindado à joalheria Harry Winston, na Quinta Avenida, em Nova York, usando o superpresente de 1997, um sutiã no valor de US$3 milhões, ornamentado com safiras e diamantes. O item de 2006, criado pelos joalheiros da Hearts on Fire e apresentado pela modelo Karolina Kurkova, tinha o preço de tabela de US$6,5 milhões. Considerando-se que ninguém jamais comprou qualquer um desses sutiãs com pedras preciosas, por que a Victoria's Secret continua a colocá-los à venda?

A empresa, provavelmente, jamais esperou vender esses sutiãs. No entanto, colocá-los à venda pode ser uma tática vitoriosa devido ao efeito sobre a vendagem de outros artigos. Os sutiãs-joia continuam a atrair o interesse da mídia, chamando a atenção de possíveis compradores para a marca Victoria's Secret.

É claro que a empresa está consciente desse benefício, como comprova o reconhecimento de que cada nova peça só atrairá a atenção se for mais espetacular que as anteriores. Não é importante que a peça não seja vendida, já que as pedras podem facilmente ser recicladas.

Contudo, talvez o benefício mais importante da oferta de sutiãs-joia seja algo que os economistas muitas vezes perdem de vista — a mera presença dessas peças no catálogo muda a referência sobre o valor que um presente pode ter. Ao implantar a ideia de que alguém está gastando milhões, a Victoria's Secret torna menos absurda a ideia de gastar várias centenas de dólares. É fácil imaginar que um marido ansioso, tendo acabado de ver o sutiã de US$6,5 milhões, possa comprar o corselete listrado Chantal Thomass por US$298 e achar que está fazendo um bom negócio.

Por que algumas marcas de sorvete são vendidas em embalagens de meio litro, enquanto outras só são vendidas em embalagens de dois litros? *(Pattie Koontz, Monica Devine)*

Os supermercados costumam vender diversas marcas e sabores de sorvete, mas os fãs de determinada marca nem sempre conseguem encontrá-la no tamanho preferido. Por exemplo, o maior supermercado de Ithaca vende diversos sabores do sorvete Breyer's, mas somente em embalagens de 2L. A loja também vende sorvete Ben & Jerry's apenas em embalagens de 0,50L. Por que essa diferença?

O sorvete Ben & Jerry's é considerado pela maioria um produto de alta qualidade, em parte porque a empresa utiliza ingredientes e métodos de fabricação dispendiosos e, em parte, porque ela tem preocupações ambientais com suas práticas de aquisição e mantém programas de relações trabalhistas humanitárias. Como os custos são mais elevados, ela precisa cobrar preços maiores. Uma embalagem de 0,50L de sorvete Ben & Jerry's no sabor New York Super Fudge com pedaços de chocolate é vendida por US$3,69, o que equivale a US$14,76 pela embalagem de 2L. Por outro lado, a embalagem de 2L do sorvete Breyer's de menta com pedaços de chocolate é vendida por apenas US$4,99.

Tudo indica que os consumidores são sensíveis não apenas ao preço por litro, mas também ao preço total do produto. Quando surgiram os sorvetes de alta qualidade no mercado, os consumidores estavam habituados a pagar relativamente pouco por aqueles vendidos em embalagens de 2L. Eles sabem que o sorvete Ben & Jerry's é mais saboroso e mais caro que a maioria das outras marcas. Apesar disso, muitos ficariam chocados se vissem uma etiqueta de US$15 numa embalagem de sorvete. Ao vender seu produto somente em caixas de 0,50L, o fabricante contornou habilmente o problema do choque com o preço. Quem quiser quantidades maiores sempre terá a opção de comprar mais do que uma embalagem.

EM BENEFÍCIO DA SIMPLIFICAÇÃO, os modelos econômicos tradicionalmente partem do princípio de que os indivíduos são egocêntricos no sentido estrito do termo. Evidentemente, o egocentrismo é uma motivação humana importante, mas também somos mobilizados por outros motivos. O simples egocentrismo não pode explicar, por exemplo, por que as pessoas fazem doações a obras de caridade ou votam nas eleições presidenciais. A economia comportamental nos diz que precisamos adotar uma visão mais relativizada das motivações humanas, se quisermos compreender as escolhas econômicas que as pessoas fazem.

Preocupações éticas costumam deixar uma marca perceptível nas transações de mercado, embora nem sempre da forma que se espera.

Por que é impossível conseguir um quarto de hotel na cidade no fim de semana da final do campeonato nacional de futebol americano? *(Richard Thaler, Harry Chan)*

O Super Bowl, o campeonato nacional de futebol americano, é o maior evento anual de entretenimento dos Estados Unidos. E todo ano é praticamente impossível encontrar um quarto de hotel vago no sábado anterior ao domingo da final, na cidade em que ele será disputado. Já se especulou que, naquela noite de sábado, o preço de equilíbrio entre a oferta e a procura de um quarto de hotel poderia chegar a vários milhares de dólares. Embora alguns hotéis aumentem as tarifas no fim de semana do Super Bowl, quase ninguém cobra mais que US$500 por um quarto, e muitos cobram bem menos. Por que os hotéis da cidade que sedia o jogo simplesmente não aumentam os preços?

Embora esse fato pareça um exemplo claro de como deixar de ganhar dinheiro, outras explicações são possíveis. A primeira propõe que o excesso de demanda talvez pegue de surpresa o hotel, como às vezes ocorre quando todo o estoque de um novo modelo de carro muito apreciado se esgota inesperadamente pelo preço sugerido pelo fabricante. Mas essa explicação claramente não se aplica ao caso dos quartos de hotel antes do Super Bowl. Os hoteleiros têm certeza de que haverá excesso de procura por quartos. Afinal, isso acontece todo ano e a data e o local do evento (ao contrário do que ocorre na World Series, a final de beisebol) são determinados com muita antecedência.

Uma explicação mais promissora é que os hotéis não querem contrariar os clientes cobrando preços que estes considerarão injustos. Mas por que um hotel deveria se preocupar com essas reações? Se os indivíduos considerarem o preço de mercado muito alto, poderão se recusar a pagá-lo. Com a possibilidade que se formem longas filas de torcedores frustrados em busca de quartos, os hotéis podem ter certeza de que ficarão lotados, mesmo que algumas pessoas considerem os preços abusivos.

No entanto, nessas ocasiões seria uma estratégia arriscada cobrar o que o mercado pode tolerar. Muitos consumidores, embora relutantes, poderiam pagar o preço de mercado, mas guardariam um ressentimento por ter sido cobrado tanto dinheiro. Essas reações são importantes, principalmente para proprietários de cadeias de hotéis, que têm quartos para alugar não somente nas noites de sábado antes da final do campeonato, mas em centenas de outras noites em centenas de cidades. Quem se sentiu extorquido pela rede Hilton no fim de semana do Super Bowl, em fevereiro, pode decidir não ficar no Hilton quando for a St. Louis em viagem de negócios, no mês de março.

Essa explicação é consistente com as anomalias de precificação em outros domínios. Restaurantes muito frequentados, por exemplo, sabem que, no sábado à noite, a demanda por mesas será maior do que o que eles podem atender pelo preço normal do cardápio. Mas os donos de restaurantes precisam ter clientes também nas outras noites da semana. E eles temem que os clientes que se sentiram explorados no sábado provavelmente prefiram jantar em outro lugar na terça-feira.

Por que tantas empresas estão terceirizando os serviços gerais?

Toda empresa precisa decidir quais serviços executar por si mesma e quais delegar para prestadores de serviço. Como mostramos no exemplo do Capítulo 3 sobre a terceirização de consultoria administrativa, é mais provável que a empresa contrate pessoal próprio para serviços que ocorrem numa base constante e diária e terceirize serviços necessários apenas de modo intermitente. Contrariando esse padrão, porém, nos últimos anos assistiu-se a um grande aumento na terceirização de serviços de manutenção, que parecem ser um exemplo do primeiro tipo. Por que arcar com o custo adicional de contratar empresas externas para prover serviços diários de limpeza e manutenção?

Uma explicação possível é sugerida por estudos segundo os quais empregados que executam a mesma tarefa ganham mais se trabalharem para empregadores mais prósperos. Uma empresa economicamente próspera pode ser considerada injusta se contratar empregados para serviços gerais pelo salário-mínimo e com benefícios reduzidos. Mas os mesmos empregados podem estar dispostos a aceitar um emprego nesses mesmos termos em uma empresa cujas circunstâncias econômicas sejam relativamente modestas. Dessa forma, um salário baixo pode parecer justo se for pago por uma pequena empresa independente, mas extremamente injusto se for pago pela IBM ou pela Google. O aumento das disparidades de renda que vem ocorrendo nas últimas décadas só pode ter ampliado a importância dessas preocupações.

Por que é mais fácil as pessoas devolverem ao caixa um troco dado em excesso do que devolverem uma mercadoria que não foi cobrada? *(Bradley Stanczak)*

Em resposta a uma pesquisa informal realizada nos Estados Unidos, mais de 90% dos consultados disseram que devolveriam US$20 à loja se recebessem essa quantia do caixa da loja como troco a mais. No entanto, apenas 10% dos consultados disseram que devolveriam para a loja um abajur de US$20 que o caixa deixou de cobrar. Por que as pessoas são mais honestas em um caso que no outro?

Há muito tempo, os filósofos já ressaltaram que o comportamento honesto não é motivado somente pelo medo da punição, mas também por sentimentos morais como simpatia e culpa. O comprador pode, sem medo de punição, levar tanto o troco a mais quanto o abajur. Mas é provável que ambas as ações precipitem conjuntos diferentes de sentimentos morais.

Se o cliente guardar o troco, no final do dia a caixa registradora revelará a falta de US$20, que o caixa terá de repor do próprio bolso. Em geral, os caixas ganham salários baixos e a maioria dos consumidores se sente mal com a ideia de fazer alguém com quem se teve um relacionamento direto sacrificar um terço do salário do dia.

Mas, se o consumidor não denunciar que não foi cobrado um abajur de US$20, a consequência será diminuir desse valor o lucro anual da loja. Como percentual do lucro geral da empresa, esse valor é uma perda insignificante, e esse custo será dividido entre os acionistas, que o comprador nunca viu e imagina que sejam ricos. Nenhuma teoria moral consideraria esses fatos razões válidas para ficar com o abajur. Mas eles ajudam a explicar por que os sentimentos morais que servem como base para um comportamento honesto se fazem mais presentes quando o comprador recebe excesso de troco.

Nos modelos econômicos tradicionais, o dinheiro é perfeitamente substituível. Como podem ser usadas para qualquer finalidade, as recompensas em dinheiro são consideradas melhores do que qualquer outra recompensa de valor equivalente. No entanto, as pessoas muitas vezes parecem preferir outros tipos de premiação. A economia comportamental nos ajudou a compreender melhor essas preferências, focalizando nossa atenção sobre uma variedade de fatores que impedem os indivíduos de gastar o próprio dinheiro como bem entendem.

Por que uma companhia de telecomunicações de Nova Jersey dá aos empregados uma BMW "de graça" em vez de dar um bônus equivalente em dinheiro?

Quando uma empresa não consegue contratar e manter o número suficiente de empregados qualificados, a economia fornece uma solução simples: pagar salários mais altos. No entanto, alguns empregadores parecem ter adotado estratégia diferente. Por exemplo, a Arcnet, uma empresa de telecomunicações localizada em Holmdel, Nova Jersey, procurou diminuir os custos de recrutamento e treinamento oferecendo uma BMW "de graça" a todos os empregados que tivessem pelo menos um ano de casa. Diversas outras empresas relataram sucesso com ofertas semelhantes.

É claro que os carros não são realmente de graça. Cada um custa em torno de US$9 mil por ano em despesas de leasing e seguro. Os empregados que recebem um desses automóveis precisam declarar esse valor como renda na declaração à Receita Federal. Portanto, isso nos deixa diante de um enigma: se, em vez de dar um automóvel, a empresa tivesse dado mais US$9 mil por ano a título de salário, ninguém teria perdido nada e pelo menos alguns teriam ficado em melhor situação.

Afinal, qualquer empregado que realmente quisesse uma BMW poderia ter gasto o adicional de salário arrendando um. Embora a BMW seja um bom carro, quem não quisesse um poderia ter ficado com mais US$9 mil por ano para gastar com outras coisas. Portanto, por que as empresas dão carros em vez de dinheiro?

A mesma questão, em essência, é suscitada pela troca de presentes entre parentes e amigos. Por que dar ao primo uma gravata que ele talvez nunca use quando você sabe que ele poderia gastar o mesmo dinheiro em algo que realmente quisesse?

Alguns podem responder que dar dinheiro é fácil demais, sendo, portanto, uma maneira menos eficaz de demonstrar afeição do que empregar tempo e esforço comprando um presente. Essa explicação pode ser correta no caso de pequenos presentes, mas certamente não se aplica a carros de luxo.

Um ângulo mais promissor foi apresentado pelo economista Richard Thaler, que observou que os melhores presentes em geral são coisas que não compraríamos para nós mesmos. Por que, pergunta ele, um homem fica feliz ao ganhar da mulher um conjunto de tacos de golfe de titânio no valor de US$1 mil, pago com dinheiro da conta conjunta do casal? Talvez ele realmente quisesse aqueles tacos, mas não achasse justo fazer uma despesa tão grande. Se outra pessoa tomar a decisão, ele poderá desfrutar os novos tacos sem sentimento de culpa.

O que torna atraente esse pensamento sobre presentes é o conselho razoável que ele dá a quem presenteia. Façamos um experimento intelectual: entre os seguintes pares de artigos de mesmo preço, qual seria o presente mais adequado para um amigo íntimo?

- R$80 de nozes macadâmia (0,50kg) ou R$80 de amendoins (3,5kg)?
- Um vale-presente de R$75 para uma refeição em um restaurante requintado ou um vale-presente de R$75 do McDonald's (5 refeições)?
- R$80 de arroz selvagem (2kg) ou R$80 de arroz branco (30kg)?
- Uma garrafa de vinho importado Mondavi Reserve Cabernet que custa US$60 (750mL) ou o mesmo valor em vinho tinto Cribari (38L)?

A maioria das pessoas consideraria melhor escolher o primeiro artigo de cada par.

A mesma lógica pode explicar por que a Arcnet e outros empregadores partidários da gratificação imediata estão dando uma BMW de presente. Talvez você não fique à vontade para dizer a seus pais, nascidos na grande depressão, que comprou um carro pelo dobro do preço de um

Toyota Camry. Talvez você não queira que os vizinhos pensem que você está se fazendo de importante. Ou talvez você sempre tenha desejado uma BMW, mas sua mulher prefira reformar a cozinha.

Um carro dado pelo patrão elimina essas preocupações. Do ponto de vista da empresa, uma vantagem adicional é que oferecer um carro de luxo a todos os empregados antigos criará menos ressentimentos que a estratégia alternativa — também em vias de se tornar comum — de oferecer um bônus em dinheiro aos empregados novos.

O mercado de trabalho dos Estados Unidos está partindo para o sistema de escambo? É improvável, já que a estratégia da Arcnet não faria sentido para muitos empregadores. Os donos de franquias da Burger King, por exemplo, provavelmente não vão usar automóveis Ford Escort como atrativos da próxima vez que precisarem de balconistas. Eles e outros empregadores de mão de obra não qualificada provavelmente continuarão fiéis à estratégia comprovada pelo tempo: pagar salários mais altos.

Mas as compensações na forma de presentes provavelmente se tornarão comuns entre os empregadores de pessoal mais qualificado. Eles são os patrões que enfrentam carência de mão de obra, e as pessoas que eles tentam contratar reagem bem às novas ofertas de presentes de luxo.

À medida que a tendência se espalhar, provavelmente os presentes mudarão. A estratégia depende da capacidade do presente para gerar entusiasmo, o que sempre e em toda parte depende do contexto. Quase todos os leitores do romance de 1991, *A firma*, de John Grisham, ficaram chocados quando o jovem advogado ganhou uma BMW como bônus de contratação, e a mesma tática continua a atrair a atenção da mídia mesmo em nossos dias. À medida que um número cada vez maior de empresas adotar o recurso, porém, ele inevitavelmente perderá a força e os empregadores terão de aumentar a parada. Alguém duvida que talentosos consultores e gerentes de investimento no futuro ignorarão qualquer empregador que se atreva a oferecer menos que um Porsche 911 ou uma propriedade compartilhada em Los Cabos?

Os MODELOS ECONÔMICOS TRADICIONAIS partem do princípio que os indivíduos têm metas bem definidas que buscam alcançar de forma eficiente. Trabalhos recentes na economia comportamental, porém, mostraram que as escolhas das pessoas são consideravelmente condicionadas por um impulso psicológico para construir e preservar a identidade individual e coletiva. Essa percepção ajuda a explicar uma variedade de escolhas cuja lógica não seria evidente de imediato pelos modelos econômicos tradicionais.

Por que os sapatos com velcro não são usados por mais pessoas? *(Adam Goldstein)*

Aprender a amarrar os sapatos era um rito infantil de passagem muito antes de o inventor George de Mestral registrar a patente do Velcro, em 1955. Desde então, ele vem substituindo o zíper, os ganchos, os laços e outros métodos tradicionais de fechamento em uma quantidade de aplicações. Como forma de ajustar os sapatos, o velcro oferece várias vantagens evidentes sobre os cadarços. Por exemplo, o cadarço pode se desamarrar e fazer as pessoas tropeçarem e caírem. Fechar os sapatos com velcro é muito mais rápido e fácil que amarrar um par de cadarços. No entanto, embora tenha havido um tempo em que esse material pareceu prestes a tirar os cadarços do mercado, a proporção de adultos que usam sapatos com esse tipo de fechamento continua pequena. Por que os cadarços sobrevivem?

Desde o início, a aplicação mais popular do velcro na indústria de calçados foi em sapatos para crianças, idosos e doentes. A popularidade do material nos calçados infantis é justificada pelo fato de que muitas crianças pequenas ainda não aprenderam a amarrar cadarços. Sapatos com velcro dão a essas crianças — e aos pais — uma dose bem-vinda de independência. Entre os mais velhos, esse fechamento é popular por razões médicas. Alguns idosos, por exemplo, têm dificuldade em se inclinar para amarrar os sapatos, enquanto para outros essa operação é dificultada pela artrite nos dedos.

A consequência é que, no imaginário do povo, fechar os calçados com velcro ficou associado a incompetência e fragilidade. Embora os calçados com esse fechamento sejam em muitos aspectos mais convenientes que aqueles com cadarços, parece improvável que os sapatos amarrados desapareçam no futuro próximo.

Por que os pilotos camicases usavam capacetes? *(Chanan Glambosky)*

Em consequência de importantes reveses militares em 1944, as forças armadas japonesas lançaram uma campanha de ataques camicases, em que os pilotos lançavam os aviões contra navios de guerra dos Estados Unidos. Os aviões estavam carregados com explosivos, de modo que o impacto significava a morte quase certa para o piloto. Nesse caso, por que os pilotos usavam capacetes?

Uma das razões é que, pelo menos em alguns casos, os pilotos camicases sobreviviam à missão. Outra razão é que, em geral, os aviões passavam por muita turbulência antes de chegar ao alvo, e os comandantes militares japoneses tinham motivos óbvios para desejar que os pilotos estivessem adequadamente protegidos nessas circunstâncias. Talvez a razão mais importante é que o capacete de aviador se tornou emblemático da condição de piloto. Os camicases eram pilotos, e todos os pilotos usam capacete.

O capacete do piloto camicase: símbolo de identidade?

Porém, a explicação mais cativante para o uso de capacetes pelos pilotos camicases é que cometer suicídio não era a intenção expressa desses aviadores. Sua missão era destruir o alvo por qualquer meio que fosse necessário. Em geral, isso significava voar para dentro de uma artilharia antiaérea tão intensa que era improvável sobreviver. Em outras situações, a única forma de lançar os explosivos era voar diretamente para dentro do alvo. Mas a esperança era de que os pilotos retornassem em segurança, apesar da expectativa de que a maioria não conseguiria fazê-lo.

Por que nas lojas dos Estados Unidos o vestuário feminino tem o tamanho definido por números, mas o tamanho das roupas masculinas é identificado pelas medidas? *(Salli Schwartz, Sarah Katt)*

Em 1960, nos Estados Unidos, para comprar calças, um homem com uma cintura de 86cm (34 polegadas) e com o comprimento da perna igual a 84cm (33 polegadas) procurava uma peça cuja etiqueta de tamanho registrasse: "C:34, P:33." Hoje, um homem com as mesmas medidas que vá comprar calças seguirá a mesma estratégia. Por outro lado, as etiquetas de tamanho nas roupas femininas não guardam um relacionamento evidente com as medidas reais da mulher, sendo, em geral, identificadas por números pares entre 0 e 18 nos EUA. Além disso, o número que teria sido adequado para uma mulher em 1960 hoje será encontrado numa peça grande demais para uma mulher do mesmo tamanho. Por que os tamanhos de vestuário feminino são tão pouco informativos?

Em 1958, o Departamento de Comércio dos Estados Unidos publicou um padrão comercial para os tamanhos de trajes femininos. No entanto, os lojistas rapidamente descobriram que poderiam aumentar as vendas se atribuíssem números menores aos trajes de qualquer tamanho, uma prática que ficou conhecida como *vanity sizing*. Tornou-se cada vez mais comum distanciar-se do padrão publicado, o que levou o Departamento de Comércio a abandoná-lo em 1983. Hoje, nenhum confeccionista que se recuse a essa prática pode esperar sobreviver no mercado. Aparentemente, muitas mulheres preferem as peças cuja numeração de tamanho seja menor, porque isso cria a ilusão de que elas são mais esbeltas.

No entanto, ao mesmo tempo em que a numeração do vestuário diminuiu, as mulheres aumentaram de tamanho. A mulher norte-americana média de hoje pesa 12Kg a mais do que a mulher média de 1960. Dessa forma, a deflação na numeração dos tamanhos femininos praticamente ocultou o aumento do tamanho real. Qualquer mulher que faça compras numa loja de roupas antigas pode comprovar que o tamanho 8 de 1960 é muito menor que o tamanho 8 atual. Mas o tamanho 8 atual veste a mulher de tamanho médio de hoje, tal como o tamanho 8 vestia a mulher média de 1960.

Os homens também aumentaram de tamanho com o tempo. Por que os fabricantes de vestuário masculino não adotaram o *vanity sizing*? Considerando-se o número crescente de homens que fazem implantes de cabelo e cirurgias cosméticas, não se pode dizer que os homens não sejam vaidosos. O esquema objetivo de medidas empregado no vestuário masculino simplesmente não se presta à manipulação pelos fabricantes.

Por que a maioria das lojas de departamentos coloca a seção de moda masculina nos andares de baixo e as de moda feminina nos andares superiores? *(Rima Sawaya)*

Nas lojas Macy's e Bloomingdale's, a maior parte do vestuário masculino está localizada no primeiro piso, enquanto a moda feminina está distribuída nos três pisos superiores. Com poucas exceções, o mesmo padrão é observado em lojas de departamentos de todo o mundo. Por que tantas lojas facilitam o acesso ao departamento masculino?

Embora a maioria dos homens e das mulheres queira parecer bem-vestida em público, costuma-se dizer que a aparência tem mais peso na formação da identidade feminina. De qualquer forma, o fato de as mulheres gastarem em roupas mais do que o dobro do que os homens gastam mostra que elas levam mais a sério a compra de vestuário. De fato, poucas mulheres desistirão de chegar ao departamento de moda feminina só por ser preciso tomar o elevador.

Por outro lado, até um obstáculo mínimo faz a maioria dos homens desistir de chegar ao departamento de moda masculina. A maioria acha que, na verdade, não precisa de um novo terno. Se a compra fosse um pouco menos facilitada, muitos deixariam a tarefa para depois.

Uma vantagem adicional de expor o vestuário masculino no primeiro piso é que muitas mulheres compram roupas para os maridos. Uma mulher que passe pelo departamento de moda masculina pode perfeitamente escolher um par de meias ou algumas camisas sociais para o marido. Os homens raramente compram roupas para as esposas, portanto as lojas não teriam vantagem em inverter a disposição das seções.

Por que os técnicos de beisebol usam uniforme? *(Andrew Toburen)*

Entre os principais esportes profissionais, o beisebol é o único em que os técnicos usam o mesmo uniforme dos jogadores. Os técnicos de basquetebol da NBA, a associação nacional de basquete, assim como os técnicos de hóquei da NHL, a liga nacional de hóquei, usam terno. Os treinadores de futebol americano usam parcas e bonés de beisebol durante as partidas. Por que os treinadores de beisebol são os únicos a usar uniformes?

Qualquer pessoa que se recorde do espetáculo do antigo treinador do Chicago Cubs, Don Zimmer, manquejando até o meio do campo para falar com o lançador, sabe que o uniforme de beisebol não favorece a forma de um homem no final da meia-idade.

Uma explicação mais plausível para os uniformes dos técnicos de beisebol parte da observação de que o esporte foi profissionalizado muito antes do basquete, do futebol americano e do hóquei. Sem contar com um precedente sobre o que os técnicos deveriam usar, não se pensou que eles devessem ser diferentes dos jogadores, e os uniformes antigos eram bastante largos para esconder uma forma já bastante prejudicada.

Além disso, como o beisebol não é um esporte aeróbico, não é incomum que até os jogadores estejam visivelmente acima do peso. Um técnico fora de forma vestindo o uniforme de beisebol chamaria menos atenção que um técnico de basquete fora de forma num uniforme do seu esporte. Do mesmo modo, o beisebol difere dos outros esportes pelo fato de que os técnicos frequentemente entram em campo, como, por exemplo, quando vão até o montículo fazer alterações no lançamento. Um homem de terno poderia parecer deslocado nessa situação. Finalmente,

Técnicos de uniforme: por que só no beisebol?

nos primeiros dias do esporte, diversos técnicos eram também jogadores ativos, portanto usar uniforme fazia muito sentido.

Porém, talvez a forma mais simples de entender por que os técnicos de outros esportes importantes não usam uniformes é imaginar como eles pareceriam ridículos se o fizessem. Por exemplo, imagine Jeff Van Gundy, do Houston Rockets, na lateral da quadra, vestido em short e camiseta, ou Bill Parcells de calça justa e ombreiras, ou ainda Ted Nolan com um traje completo do New York Islanders. O uniforme de beisebol pode não favorecer o físico masculino de meia-idade, mas os técnicos desse esporte em uniforme são um espetáculo muito menos cômico do que seriam os técnicos de outros esportes nos uniformes de suas modalidades.

O PRÓXIMO EXEMPLO ILUSTRA um princípio que os negociantes já dominam há muito tempo, mas que muitos economistas estão apenas começando a apreciar: um pouco de bom senso sobre a psicologia humana gera estratégias de marketing capazes de aumentar consideravelmente os ganhos do negócio.

Por que as lojas Target anunciam tanto os medicamentos vendidos em suas farmácias? *(Kate Rubinstein)*

As lojas Target negociam com uma vasta gama de produtos, muitos dos quais eles anunciam e vendem em promoções. No entanto, a rede dá grande destaque aos medicamentos de suas farmácias. Quando abre uma nova loja, por exemplo, a rede distribui um grande volume de cupons promocionais, muitos dos quais para compras na farmácia. ("Compre seu medicamento na farmácia Target e receba um desconto de US$10 na próxima compra.") Por que essa ênfase?

O cliente que entrega uma receita ao atendente da farmácia esperará, com sorte, apenas cinco minutos para receber os remédios. Mas, se o balcão estiver cheio, é possível esperar vinte minutos ou mais. Cientes da demora, os consumidores previdentes trazem algum material de leitura. Porém, os executivos da Target parecem entender que a maioria dos consumidores não tem essa capacidade de previsão. Eles também sabem que os clientes provavelmente não ficarão à toa enquanto esperam pelos remédios. Com gôndolas cheias de mercadorias atraentes bem à mão, em geral os consumidores preferem passear pela loja. Atrair mais consumidores para dentro da farmácia é um modo eficaz de fazer com que eles também comprem outros artigos.

DIVERSOS EXEMPLOS DO CAPÍTULO 6 ilustraram a forma como as leis e os regulamentos conciliam conflitos entre indivíduos e grupos. Outra estratégia consiste em fazer com que os grupos adotem normas sociais que tentam equilibrar as motivações individuais e as coletivas. Quando o número de pessoas à espera do próximo ônibus ultrapassa o número de lugares no veículo, em geral irrompem tensas disputas sobre o lugar de cada um na fila. No entanto, por mais agressivas que sejam as pessoas, o número de lugares disponíveis continua igual. Os países da comunidade britânica resolveram esse problema adotando uma norma segundo a qual todos concordam que os primeiros a chegar na fila terão direito aos lugares disponíveis.

Essas normas promovem a eficiência e a harmonia social. Mas o último exemplo deste capítulo mostra que a regra pela qual os primeiros a chegar têm prioridade às vezes traz consequências indesejáveis.

Por que nas pontes de mão única a cortesia às vezes resulta em perda da eficiência?

(Mario Caporicci, Scott Magrath)

A cidade de Ithaca, no estado de Nova York, tem várias pontes de mão única. Para controlar a ordem de entrada na ponte, com o passar dos anos, criou-se uma norma segundo a qual o primeiro a chegar tem preferência. De acordo com essa norma, nenhum carro pode entrar na ponte se já houver outro carro esperando do outro lado. O propósito ostensivo da norma é evitar que um fluxo constante de tráfego em uma direção bloqueie o acesso à ponte por longos períodos. Como pode ser visto em muitas situações, talvez em todas, as normas sociais que exigem autocontrole trazem resultados mais eficientes do que seria possível sem elas. Mas, no caso em análise, a intenção de fazer uma cortesia resulta em perda da eficiência. Por que os motoristas seguem essa norma?

Para começar, imagine como seria o tráfego pela ponte na ausência de qualquer norma: um primeiro motorista chega do norte, encontra a ponte deserta e começa a atravessar. Alguns segundos depois, um segundo motorista chega do sul e, ao verificar que um carro já está atravessando a ponte, decide esperar que o primeiro motorista termine a travessia. Afinal, seria tolice entrar na ponte antes disso, já que um dos motoristas seria obrigado a recuar para que os dois pudessem cruzar.

Dez segundos depois que o primeiro motorista começou a travessia de 30 segundos de duração, imagine que um terceiro motorista chega,

"Pode passar", "Não, pode passar primeiro": nem sempre uma norma eficiente.

também do norte, e entra na ponte. Mais uma vez, a melhor opção do segundo motorista é continuar a esperar. Se outros carros chegarem do norte em intervalos de menos de 30 segundos, cada um deles pode entrar na ponte atrás do automóvel precedente, prolongando ainda mais a espera do segundo motorista. Desse modo, em períodos de tráfego relativamente pesado, os motoristas que cheguem do sul podem ter de esperar horas antes de cruzar a ponte.

A norma social de Ithaca tentou eliminar essa possibilidade ao exigir que os motoristas atravessem a ponte na ordem em que chegaram, nas duas direções. Na situação descrita, a norma obriga o terceiro motorista a não entrar na ponte até que o segundo motorista tenha atravessado.

Isso exige autocontrole, pois, se o terceiro motorista começar a atravessar a ponte atrás do primeiro carro, não há nada que o segundo motorista possa fazer. Ele terá de esperar até que o terceiro motorista (e outros que venham logo atrás) tenham acabado de cruzar a ponte.

Como funciona essa norma? Quando há muito tráfego nas duas direções, o tempo de espera acaba por ser mais longo do que se a norma não existisse.

Imagine que, de cada direção, tivesse chegado uma caravana de dez carros, separados por 10 segundos, tendo o primeiro motorista da caravana que vai para o norte chegado à ponte alguns segundos antes do primeiro motorista da caravana que vai para o sul. Se ninguém seguisse a norma de prioridade para o primeiro que chegar, todos os carros que vão para o norte atravessariam a ponte, e depois todos os carros em direção ao sul fariam o mesmo. Os carros que vão para o norte não teriam de esperar por ninguém, como poderão verificar os leitores que tiverem lápis, papel e um pouco de paciência. A soma do tempo de espera de todos os motoristas que vão para o sul seria de 12 minutos e 30 segundos.

Por outro lado, se todos seguirem a regra da preferência para os primeiros a chegar, o primeiro carro em direção ao norte atravessaria, seguido pelo primeiro carro em direção ao sul, depois pelo segundo carro direção ao norte, seguido pelo segundo carro em direção ao sul e assim por diante. Se você tiver a paciência de somar o tempo de espera, verá que o total de espera será de 80 minutos (37,5 minutos para os carros que vão para o norte e 42,5 minutos para os carros que vão para o sul), mais de seis vezes o tempo total de espera caso não existisse a norma.

Essa norma não só aumenta substancialmente o tempo total de espera, como também torna mais irregular a distribuição do tempo individual de espera. Mas esses problemas só são significativos em períodos de trânsito intenso, que são relativamente raros em Ithaca.

Apesar das deficiências, essa norma tem-se mostrado durável. Depois de cada travessia, é comum os motoristas cumprimentarem o primeiro da fila do lado oposto, em reconhecimento ao fato de que ele poderia ter entrado na ponte atrás do carro anterior, mas não o fez.

10

O mercado informal dos relacionamentos pessoais

Embora sejam influenciados principalmente pelos sentimentos, os relacionamentos sociais não estão de forma alguma livres da lógica econômica. Consideremos, por exemplo, a relação entre riqueza e encanto pessoal. Todo mundo quer uma casa em um bairro seguro e com boas escolas, mas os indivíduos de baixa renda não têm a certeza de consegui-la. Portanto, os economistas não se surpreendem com o fato de que, ao responder a questionários sobre as características mais atraentes dos homens, as mulheres coloquem a capacidade de ganhar dinheiro no topo ou próximo do topo da lista.

No romance *O grande Gatsby*, de F. Scott Fitzgerald, o personagem James Gatz compreende que sua posição humilde o torna um improvável aspirante à mão de sua querida Daisy. Portanto, ele muda o próprio nome para Jay Gatsby e trabalha com concentração e determinação únicas para alcançar o maior sucesso material possível.

A teoria de Adam Smith sobre os diferenciais compensatórios de salários (ver Capítulo 3) ajuda a esclarecer um detalhe específico da luta de Gatsby. Segundo essa teoria, quanto mais desagradável e arriscado for o emprego, maior será o salário. Algumas das remunerações mais consideráveis são pagas a pessoas altamente qualificadas que estejam dispostas a fazer um trabalho moralmente questionável. Gatsby percebeu que não poderia ser cauteloso ou escrupuloso se quisesse ter qualquer chance de alcançar a meta.

Fitzgerald nunca revela os detalhes precisos da forma como Gatsby fez fortuna. Mas o autor não deixa dúvida de que o trabalho do personagem era não só moralmente suspeito, mas definitivamente fora da lei. Gatsby certamente sabia que, se fosse apanhado e punido, seu sonho evaporaria. No entanto, um caminho menos arriscado implicaria fracasso garantido.

Os exemplos deste capítulo exploram a visão de um economista segundo a qual o mercado informal dos relacionamentos sociais está sujeito à mesma lógica de oferta e procura que governa o comportamento de outros mercados. Ao fazerem essa afirmativa, os economistas não garantem que o amor não desempenhe papel relevante na escolha de um cônjuge. Na verdade, diz-se que o próprio Fitzgerald, que evidentemente compartilhava da visão de que as preocupações materiais são importantes quando se procura um parceiro, aconselhou amigos a não se casarem por dinheiro. Ele sugeriria: "Vá para onde o dinheiro está e então se case por amor."

Embora cada um dos 6 bilhões de habitantes do planeta seja diferente uns dos outros de muitas maneiras, há algumas características que as pessoas parecem valorizar nos potenciais parceiros. Essas características variam de uma cultura para outra, mas há um grau surpreendente de superposição. Muitas pessoas, por exemplo, preferem um parceiro que seja gentil, honesto, leal, saudável, inteligente e fisicamente atraente. As mulheres geralmente admitem sentir atração por homens financeiramente bem-sucedidos. Embora antigamente os homens não costumassem mencionar a capacidade de ganhar dinheiro quando interrogados sobre o que achavam atraente numa mulher, eles já começaram a fazê-lo em pesquisas norte-americanas mais recentes.

O poder de compra de cada indivíduo no mercado informal de candidatos ao casamento é o conjunto de suas características pessoais. Para simplificar a discussão, é comum medir o poder de compra de quem busca um parceiro pela média ponderada das características pessoais que ele ou ela possui, onde os pesos representam a importância relativa da respectiva característica. Dessa forma, a cada indivíduo pode ser atribuído um número de 1 a 10, com os números mais altos representando combinações mais desejáveis de características pessoais. Assim, parte-se do princípio de que quem procura parceiro vá adotar como regra "casar-se com a melhor pessoa que aceitá-lo". O resultado é um padrão de acasalamento seletivo em que 10 se casa com 10, 9 se casa com 9, e assim por diante.

Desnecessário dizer que essa é uma descrição nada sentimental da maneira como as pessoas se unem pelo casamento, mas ela parece fornecer pelo menos uma percepção simplificada de alguns dos comportamentos que observamos na prática quando se corteja alguém.

Por que a média de idade do primeiro casamento aumentou? *(Justin Grimm)*

Nos Estados Unidos, em 1960, a média de idade no primeiro casamento era igual a 22,8 anos para os homens e 20,3 anos para as mulheres. Em 2004, essas idades haviam aumentado para 27,4 e 25,8, respectivamente. Um aumento similar foi observado em outros países. Em 2001, na Austrália, a média de idade no primeiro casamento era de 28,7 para homens e 26,9 para mulheres. Em 1970, os homens australianos se casavam em média aos 23,4 anos e as mulheres aos 21,1 anos. Por que as pessoas estão casando mais tarde?

Uma das razões é que o aumento de renda resultou em mais acesso à educação superior, portanto a formação necessária para conseguir qualquer emprego aumentou. Por exemplo, há um século, alguém com um certificado de ensino médio tinha uma expectativa razoável de conseguir um emprego como bancário, ao passo que hoje a maioria dos bancos preenche os mesmos cargos com pessoas de formação universitária. Além disso, como os mercados de trabalho se tornaram mais competitivos, diplomas e outras medidas de desempenho acadêmico passaram a ter um impacto cada vez maior no sucesso profissional.

Por essas razões, o custo de oportunidade de casar cedo aumentou. Por exemplo, um casamento precoce dificulta a obtenção de um diploma de ensino superior, principalmente para quem tem filhos. E, considerando-se que as pessoas esperam casar-se com alguém próspero, a informação indicativa de sucesso não está disponível tão cedo, quanto costumava estar.

Tradicionalmente, o que se via como benefício de casar cedo era conseguir um parceiro atraente antes que todos os bons candidatos ficassem comprometidos. Mas hoje pode haver menos motivo para temer ficar para trás. O aumento da renda, da formação e da mobilidade tornou acessível um pool crescente de cônjuges em potencial. Portanto, o custo de oportunidade de perder um parceiro atraente quando se é jovem não é mais tão alto quanto costumava ser.

Outro aspecto considerado um benefício de se casar cedo consistia em ter filhos quando ainda se era bastante saudável e forte para enfrentar as exigências de criá-los. Mas esse benefício também perdeu importância com a melhora na saúde e na longevidade.

Resumindo, os custos de casar cedo têm aumentado, ao passo que os benefícios vêm diminuindo. Isso pode ajudar a explicar por que a idade média do primeiro casamento tem aumentado.

Por que é mais fácil encontrar um parceiro quando já se tem um? *(Hetal Petal)*

Um homem jovem ficou muito amigo de uma mulher igualmente jovem e atraente. Seu relacionamento era estritamente platônico. Uma noite, a mulher convidou o amigo para ir a um bar, declarando: "Vou ajudar você a conhecer alguém essa noite." Os dois foram para o bar, onde a mulher foi excepcionalmente atenciosa. Enquanto estavam ali sentados, bem à vista dos outros clientes, ela lhe acariciava o braço, olhava-o nos olhos e, com frequência, sussurrava ao ouvido dele. Então, ela anunciou que ia embora, pedindo a ele que a encontrasse no dia seguinte para um café. Depois que ela saiu, diversas outras mulheres jovens e atraentes procuraram-no. Isso lhe causou surpresa. Por que aquelas mulheres de repente começaram a se interessar por ele?

No dia seguinte, ao se encontrarem para um café, a amiga não se mostrou nem um pouco surpresa quando ele falou de toda a atenção que recebeu. Ela comentou:

— Eu sabia muito bem o que ia acontecer. É muito difícil saber se alguém é legal só olhando para a pessoa.

As outras mulheres no bar sabiam que mulheres atraentes geralmente são muito requisitadas pelos homens, portanto, se ela, uma mulher atraente, estava dando tanta atenção a um homem que evidentemente conhecia bem, isso era um sinal indiscutível de que ele era interessante.

O rapaz viu nessa experiência mais um exemplo do efeito Mateus: "Porque a quem tem mais lhe será dado, e terá em abundância" (Mateus 25: 29). Depois da chuva, o dilúvio!

Por que a circunspecção costuma ser considerada um atributo atraente?

Homens e mulheres solteiros, em idade de casar, geralmente fazem o possível para encontrar potenciais parceiros. Eles vão a bares, associam-se a clubes, frequentam academias de ginástica, participam de cultos religiosos, pedem ajuda aos amigos e parentes e procuram serviços de encontros. No entanto, muitas vezes eles rejeitam possíveis pares aparentemente atraentes que pareçam excessivamente ansiosos para dar início a um relacionamento. Por que essa preferência por alguma reserva por parte dos potenciais parceiros?

Certa vez, o falecido Groucho Marx afirmou que não queria entrar para nenhum clube que o aceitasse como sócio. É claro que assumir essa atitude na busca por um relacionamento pessoal é uma receita segura de fracasso. No entanto, Marx certamente sabia do que estava falando.

Como já comentamos, as pessoas costumam procurar parceiros que sejam compassivos, inteligentes, saudáveis, honestos, emocionalmente estáveis e fisicamente atraentes. Algumas dessas características são fáceis de observar, e outras não. Quem reunisse todas essas qualidades seria muito requisitado e, portanto, não deveria estar desesperado para conseguir um parceiro. Porém, o mesmo não acontece com alguém que saiba ser deficiente em muitas das características que são mais difíceis de observar. Essa pessoa, provavelmente, já foi rejeitada várias vezes e pode ter dificuldade de esconder que está ansiosa por alcançar sucesso.

O resultado é que, dentro de certos limites, uma atitude reservada é um atributo interessante. Quem sabe que é atraente dificilmente está desesperado para conseguir um parceiro.

Por que os moradores de zonas rurais casam-se tão mais cedo que os habitantes das cidades? *(Matt Hagen)*

Entre 2000 e 2003, a média de idade no primeiro casamento em West Virginia, uma região predominantemente rural, era de 25,9 anos para homens e 23,9 anos para mulheres. Por outro lado, a média da idade do primeiro casamento na região urbana/suburbana de Nova Jersey era de 28,6 para homens e 26,4 para mulheres. Por que quem vive nas áreas rurais tem mais pressa de casar?

O custo de casar cedo é a maior probabilidade de divórcio. Todos os casais, urbanos ou rurais, teriam mais chance de ver o casamento durar se esperassem um pouco mais antes de assumir esse compromisso. Mas, como vimos, as escolhas que parecem corretas para o conjunto da população nem sempre são interessantes para os indivíduos. Quando alguém encontra um possível parceiro excepcionalmente atraente, por exemplo, ele ou ela talvez não veja só as vantagens de esperar mais um pouco, mas também os riscos — em particular, a possibilidade de que outra pessoa roube aquele indivíduo muito especial.

Embora não haja duas pessoas iguais, se em uma cidade grande alguém perde a oportunidade de se casar com um potencial cônjuge muito atraente, ainda contará com uma reserva bastante significativa de jovens solteiros da qual eventualmente poderá surgir um substituto com qualidades comparáveis. No entanto, uma miríade de características peculiares formam a base da atração humana e quando, num ambiente rural, perde-se a oportunidade de um relacionamento promissor, há muito motivo para temer que a próxima melhor opção não seja igualmente atraente.

Dessa forma, nas áreas rurais, o casamento precoce pode ser outro exemplo dos conhecidos conflitos entre os interesses individuais e os coletivos. Embora fosse melhor para todos esperar, a estratégia mais atraente para cada indivíduo pode ser agarrar a primeira oportunidade sólida que vier a surgir.

Outra diferença relevante é que o nível de escolaridade tende a ser mais baixo nas áreas rurais; proporcionalmente, é menor o número de indivíduos em carreiras com alto nível de exigência que levam tempo para se consolidar. Portanto, uma motivação para se postergar o casamento — o fato de a informação necessária para prever o sucesso chegar relativamente tarde — não tem a mesma força nas áreas rurais.

O MODELO DOS ECONOMISTAS para o mercado de relacionamentos lança luz não só sobre as práticas da atração, mas também sobre as leis por meio das quais a sociedade regula o casamento e a decisão de permanecer casado.

Se, como se pensa, a poligamia favorece o homem e prejudica a mulher, por que poderes legislativos predominantemente masculinos proíbem essa prática?

Muitos acreditam que adultos conscientes devem ter a liberdade de agir como bem entenderem, desde que não causem danos inaceitáveis a terceiros. A dificuldade, evidentemente, é saber o que constitui um dano inaceitável. A série de televisão da HBO intitulada *Amor imenso*, que retrata uma fictícia família polígama de Salt Lake City, renovou o debate sobre a questão.

Barb, Nicki e Margene, as três heroínas da série, decidiram casar-se com Bill Henrickson, um homem de negócios bem-sucedido, capaz de prover generosamente às necessidades de sua numerosa família. A sociedade deve banir esse tipo de acordo por causar prejuízo inaceitável a terceiros? Nesse caso, quem exatamente é prejudicado, e de que forma? O modelo dos economistas sobre o mercado informal de candidatos ao casamento tem interessantes declarações a fazer sobre essas questões.

O argumento tradicional contra o casamento poligâmico é ele ser prejudicial às mulheres, principalmente as muito jovens, que podem ser coagidas a aceitar esse tipo de união. É desnecessário dizer que a sociedade deve proibir a participação forçada em qualquer casamento, seja ele múltiplo ou monogâmico. Mas uma mulher madura que tome a decisão de entrar num casamento poligâmico revela preferência por esse tipo de acordo. Portanto, se o casamento poligâmico prejudica as mulheres, as vítimas devem ser aquelas que preferem a monogamia.

É fácil ver como algumas dessas mulheres podem ser prejudicadas. Em um mundo monogâmico, por exemplo, a preferência de Barb seria casar-se com Bill, que também teria escolhido se casar com ela. No entanto, se a poligamia fosse permitida, Bill talvez preferisse casar-se não só com Barb, mas também com Nicki e Margene. Nesse caso, Barb teria de escolher entre duas opções menos interessantes: continuar a procurar um parceiro monógamo ou aceitar um casamento múltiplo que não é de seu agrado.

Pelo simples fato de eliminar opções atraentes para algumas mulheres, a autorização de casamentos múltiplos não resulta em danos inaceitáveis para as mulheres em geral. Suponhamos, por exemplo, que, por ser a poligamia legal, 10% dos homens adultos se casassem com três esposas cada um, em média, e que todos os casamentos restantes fossem monogâmicos. Entre os aspirantes a monógamos, haveria então uma proporção de nove homens para sete mulheres. Com um excesso de homens no mercado informal de parceiros monógamos, os termos da negociação seriam favoráveis às mulheres. As esposas trocariam menos fraldas e os pais delas poderiam, inclusive, escapar de pagar as despesas do casamento.

E quanto aos homens? Aqui, também, o casamento múltiplo seria claramente benéfico para alguns. Afinal, com certeza, existem outros homens como Bill Henrickson, da série *Amor imenso*, que não só querem ter muitas esposas, mas também são capazes de conquistá-las.

Nesse caso, como ficariam os monógamos? Conforme observamos, permitir uniões múltiplas desequilibraria a proporção de homens para mulheres na população monogâmica. Com tantas mulheres interessantes deixando de estar disponíveis, os termos de negociação seriam muito desfavoráveis aos homens (como aconteceu na China, como resultado do infanticídio de meninas). Muitos homens talvez não conseguissem casar.

Em suma, a lógica da oferta e da procura contraria a sabedoria convencional sobre casamentos múltiplos. Se esse tipo de acordo prejudica alguém, as vítimas mais prováveis são os homens, não as mulheres.

Essa conclusão ganha ainda mais força se considerarmos a disputa dispendiosa e mutuamente prejudicial associada às tentativas masculinas de conquistar mulheres quando elas são escassas. Com um suprimento cronicamente reduzido de mulheres, os homens enfrentam uma pressão ainda maior que a de hoje para ter sucesso econômico e passar mais tempo malhando o abdômen; mais homens iriam submeter-se a cirurgias plásticas; os gastos com anéis de noivado aumentariam; no Dia dos Namorados, os buquês teriam *duas* dúzias de rosas. Apesar disso, por mais que cada homem se esforçasse, o mesmo número estaria destinado a não se casar.

Embora possam servir a outros propósitos, as leis contra a poligamia também funcionam como acordos de controle entre as partes, tornando a vida dos homens menos estressante. Isso pode ajudar a explicar por que tais leis agradam aos legisladores, majoritariamente do sexo masculino.

Por que entre militares tantos casamentos se desfazem após dez anos? *(Andrew Blanco)*

De acordo com um estudo antigo, a probabilidade de que um casal se divorcie alcança o pico no terceiro ano do casamento, cai drasticamente durante o sétimo ano e declina mais lentamente a partir daí. Porém, de acordo com o folclore militar, quando um dos cônjuges pertence às forças armadas, ocorre um aumento significativo no índice de divórcios durante o décimo primeiro ano do casamento. O que pode explicar essa diferença?

Uma hipótese plausível é sugerida pelos termos da legislação Uniformed Services Former Spouses Protection Act (USFSPA), que estabelece, para os cônjuges de membros das forças armadas, os direitos sobre os benefícios de pensão destes últimos em caso de divórcio. Depois de dez anos de casamento simultâneo com a carreira militar, de acordo com o USFSPA, o ex-cônjuge passa a ter direito a uma participação *pro-rata* nos benefícios de aposentadoria militar do antigo parceiro, recebendo o pagamento diretamente do órgão de contabilidade e finanças do Ministério da Defesa. Ao deixarem para se divorciar depois do décimo aniversário de casamento, os antigos cônjuges de militares evitam ter de contar com a boa vontade dos ex-parceiros para conseguir pensões em acordos de divórcio.

O MERCADO INFORMAL de candidatos ao casamento também pode influenciar os padrões dos atributos que observamos nos indivíduos e a forma como determinadas características e preferências podem afetar as escolhas que eles fazem.

Por que as pessoas fisicamente atraentes também são, em média, mais inteligentes que as outras? *(Satoshi Kanazawa, Jody Kovar)*

Pesquisas mostraram que as pessoas consideradas fisicamente atraentes também tendem a parecer mais inteligentes. E muitas vezes se observou que as crianças bonitas costumam ter notas mais altas na escola. Embora essa última descoberta muitas vezes tenha sido interpretada como uma prova de parcialidade do professor, uma análise econômica do mercado informal de candidatos ao casamento sugere que as crianças mais bonitas podem na verdade ser mais inteligentes.

Os psicólogos evolucionistas Satoshi Kanazawa e Jody Kovar, por exemplo, fornecem provas convincentes das quatro propostas seguintes: (1) homens mais inteligentes tendem a conquistar uma condição social mais elevada e uma renda mais alta; (2) os homens geralmente consideram as mulheres fisicamente atraentes candidatas mais desejáveis para o casamento; (3) as mulheres geralmente consideram mais desejáveis para maridos os homens de renda mais alta e posição social mais elevada; (4) tanto a inteligência quanto a beleza são características significativamente hereditárias. Se as três primeiras propostas são verdadeiras, então, logicamente, segue-se que a maioria das mulheres relativamente atraentes se casarão com homens relativamente inteligentes. Se beleza e inteligência são características hereditárias, os filhos desses casamentos vão manifestar essas características acima da média.

Em suma, considerando-se o que já sabemos sobre o mercado informal de relacionamentos pessoais, a hipótese de que beleza e cérebro andam juntos não parece absurda.

Por que um homem que prefere as morenas tem mais chance de se casar com uma mulher mais bondosa, saudável, bonita e inteligente que um homem com preferência por louras?

Diz-se que os homens preferem as louras, e em muitos países ocidentais as pesquisas confirmam essa teoria. Mas imagine que um homem pudesse escolher a cor de cabelo que considera mais atraente. Nesse caso, teria ele bons motivos para preferir as morenas?

Já vimos que o poder de compra de cada homem no mercado informal de parceiros é um valor atribuído pelo mercado a seu conjunto específico de características pessoais. Para qualquer homem, esse índice é fixo, pelo menos em curto prazo. A assertiva básica do modelo é que homens com determinado valor se casam com mulheres de mesmo valor. Dessa forma, um homem de 9 pontos pode desejar casar-se com uma mulher de 10, mas essa mulher em geral terá melhores opções. Realisticamente, a expectativa de um homem de 9 pontos é casar-se com uma mulher de 9 pontos.

No entanto, para pessoas de ambos os sexos, uma grande variedade de combinações de características pessoais pode produzir um índice de valor 9. Nessas pessoas, valores mais altos em determinadas características implicam valores mais baixos em todas as outras características. Portanto, se cabelos louros contribuem de maneira positiva para o índice de atratividade de uma mulher, então uma loura de 9 pontos tenderá a ter, para todas as outras características, valores menos favoráveis que os de uma morena de 9 pontos. Na média, a loura será menos saudável, menos inteligente, menos compassiva e menos bonita em outras dimensões que não sejam a cor do cabelo. Portanto, se um cavalheiro preferisse as morenas, seria por um bom motivo.

Se as pessoas bonitas são mais inteligentes e se as louras são consideradas mais bonitas, por que há tantas piadas sobre louras burras?

Uma busca rápida na internet localiza milhares de piadas sobre louras burras, como a seguinte:

Às duas da manhã, um casal estava dormindo quando o telefone tocou. A mulher, uma loura, com fone ao ouvido, escutou por alguns instantes e disse:

— Como posso saber, isso fica a centenas de quilômetros daqui! — e desligou.

O marido pergunta:

— Quem era?

— Não sei, uma mulher querendo saber se a barra está limpa.

Essas piadas são um enigma econômico. Como já comentamos, tudo indica que os homens consideram as louras mais atraentes que as morenas. Também há provas de que as pessoas consideradas atraentes costumam ser mais inteligentes que a média. Por que, então, há tantas piadas sobre louras burras?

A opinião dos outros sobre o nível de inteligência de alguém não depende apenas das habilidades mentais dessa pessoa, mas também do quanto ela cultiva essas habilidades, investindo em formação e treinamento. Por sua vez, o quanto a pessoa decide investir no próprio desenvolvimento depende do retorno desse investimento em relação ao retorno de outros investimentos. As louras são consideradas mais atraentes, logo essa condição deve criar boas oportunidades que não exigem um grande investimento em educação.

A percepção de que as louras são menos inteligentes deve se originar menos da diferença inata de capacidade mental e mais do fato de que elas decidem racionalmente investir menos na própria formação. Ou talvez as morenas, enciumadas e sem ter o que fazer, gostem de matar tempo criando piadas sobre louras burras.

Os críticos argumentam com razão que o modelo empedernido dos economistas sobre o mercado implícito de relacionamentos pessoais deixa de lado muita coisa importante. E embora ele ajude a explicar alguns padrões da sedução, também ignora o compromisso, elemento crítico em casamentos bem-sucedidos, que, pela própria natureza, é fundamentalmente independente de considerações materiais.

A importância do compromisso nos relacionamentos bilaterais é familiar a quem quer que tenha lidado com um locador. Imagine, por exemplo, que você acabou de se mudar para uma cidade e precisa de um apartamento. Se estiver em Los Angeles ou alguma outra metrópole, não terá como inspecionar cada um dos milhares de apartamentos disponíveis, portanto você percorre os classificados e visita alguns imóveis para ter uma ideia aproximada do mercado — faixas de preço, itens de conforto e lazer, localização e outras características importantes para você. À medida que avança na busca, você descobre um imóvel que lhe parece acima do comum com base em suas impressões das distribuições relevantes. Você quer fechar negócio. A essa altura, você *sabe* que existe um apartamento melhor em algum lugar, mas seu tempo é valioso demais para continuar a procura. Você quer resolver sua vida.

Tendo tomado essa decisão, o próximo passo importante é assumir um compromisso com o dono do apartamento. Você não quer se mudar e um mês depois ser despejado. A essa altura, você já terá comprado cortinas, pendurado seus quadros na parede, instalado telefone e tevê a cabo e assim por diante. Se for obrigado a sair, não só perderá esses investimentos, como terá de começar novamente a busca por um lugar onde morar.

O locador também tem interesse em sua permanência por um período longo, já que ele teve muito trabalho e despesa para alugar o apartamento: anunciou o imóvel e mostrou-o a dúzias de candidatos, nenhum dos quais pareceu tão estável e digno de confiança quanto você.

O resultado é que, embora você saiba que há um apartamento melhor em algum lugar, embora seu locador saiba que há um inquilino melhor, ambos têm muito interesse em assumir o compromisso de ignorar essas oportunidades. A solução padronizada é assinar um contrato que impeça as duas partes de aceitar ofertas posteriores que pareçam mais atraentes. Se você sair, terá de arcar com o aluguel correspondente à duração do contrato. Se o proprietário pedir o imóvel, o contrato lhe dá o direito de se recusar a sair.

A possibilidade de assumir um compromisso assinando um contrato aumenta o valor que o inquilino está disposto a pagar por um apartamento e diminui o valor que o proprietário está disposto a aceitar. Sem a segurança decorrente desse compromisso contratual muitas trocas valiosas jamais aconteceriam. O contrato inviabiliza opções valiosas, mas isso é exatamente o que os signatários desejam que ele faça.

Na busca por um parceiro, enfrentamos um problema de compromisso essencialmente similar. Você quer um par, mas não quer qualquer um. Depois de namorar muitas pessoas, acha que sabe bem o que é possível encontrar — os temperamentos das pessoas, seus valores éticos, interesses culturais e recreativos, suas habilidades sociais e profissionais e assim por diante. Entre todos os que conheceu, você tem interesse em um, em particular. Com sorte, a pessoa sente o mesmo por você. Os dois querem avançar no processo e começar a investir no relacionamento. Vocês querem se casar, comprar uma casa, ter filhos. No entanto, poucos desses passos fazem sentido se os dois não tiverem a expectativa de um relacionamento duradouro.

Mas e se alguma coisa não der certo? Qualquer que seja a ideia que seu parceiro faça de um cônjuge perfeito, você sabe que existe alguém mais próximo desse ideal do que você. E se essa pessoa surgir de repente? E se um de vocês adoecer? Tal como locatários e locadores ganham se assumirem um compromisso, os cônjuges têm o mesmo interesse em inviabilizar futuras opções.

O contrato de casamento é uma forma de tentar alcançar esse compromisso desejado. No entanto, se refletirmos, veremos que um contrato legal não é a melhor forma de criar o tipo de compromisso que as duas partes desejam. Mesmo as sanções legais mais draconianas não fazem mais do que obrigar alguém a permanecer unido a um cônjuge de quem prefira se separar. Mas um casamento nesses termos dificilmente atende às metas que cada parceiro originalmente queria realizar.

Alcança-se um compromisso muito mais seguro se o contrato legal for reforçado por laços de afeição. O fato é que muitos relacionamentos não são ameaçados quando surge um novo possível parceiro mais gentil, rico, sedutor e bonito. Quem tiver criado uma ligação emocional com o parceiro não *quer* investir em novas oportunidades, mesmo aquelas que em termos puramente objetivos pareçam mais promissoras.

Com isso não queremos dizer que os compromissos emocionais sejam garantidos. Qual de nós não teria pelo menos um pouco de preocupação se soubesse que naquela noite a esposa vai jantar com George Clooney, ou que o marido vai tomar um drinque com Scarlett Johansson? No entanto, mesmo os compromissos emocionais imperfeitos quase sempre poupam a maioria dos casais desse tipo de preocupação.

O importante é que, embora esses compromissos emocionais inviabilizem oportunidades potencialmente valiosas, eles também trazem benefícios importantes. Um compromisso emocional com o cônjuge é valioso no cálculo puramente racional do custo-benefício porque promove investimentos que melhoram a adaptação. Mas observe a ironia: esses compromissos funcionam melhor se impedirem as pessoas de pensar explicitamente na relação conjugal em termos de custo-benefício.

A experiência mostra que quem pensa conscientemente nesses relacionamentos em termos de pontos ganhos e perdidos tem menos satisfação no casamento. Quando os terapeutas tentam fazer os indivíduos pensarem nos relacionamentos em termos de custo-benefício, esse tiro muitas vezes parece sair pela culatra. Talvez essa não seja a maneira como a evolução nos preparou para pensar sobre os relacionamentos pessoais.

11

Dois originais

Uma das decisões mais difíceis que enfrentei quando comecei a escrever este livro foi até que ponto ele modificaria os trabalhos estudantis que serviram de base para a maioria dos exemplos. Embora muitos desses exercícios trouxessem perguntas interessantes, às vezes as respostas não estavam elaboradas com clareza e não faziam sentido do ponto de vista econômico. Para incluir essas perguntas, eu não tinha opção senão modificar as respectivas explicações.

No entanto, muitos outros exemplos propunham perguntas interessantes cujas explicações não só eram claras, mas também escritas numa linguagem maravilhosamente vigorosa. Esses foram os exercícios que me causaram mais ansiedade antes de finalmente concluir que a leitura do livro seria mais agradável se ele fosse escrito num único estilo. Portanto, refiz completamente todas as respostas às perguntas propostas por meus alunos. Lamento informar que pelo menos em alguns casos minhas reconstruções não fizeram justiça aos originais. A esses autores, peço desculpas sinceras.

Para ilustrar como muitos trabalhos originais eram simplesmente encantadores, reproduzo dois deles praticamente na íntegra:

Por que os ativistas dos direitos dos animais atacam mulheres de casacos de pele, mas deixam em paz os motoqueiros vestidos de couro? (*Kevin Heisey*)

Há diversas explicações lógicas possíveis, três das quais vou examinar aqui. A primeira, provavelmente a mais óbvia, trata das vantagens físicas e evolutivas de acossar mulheres maduras em vez de motociclistas parrudos; a segunda leva em consideração o número de animais necessários para fazer um casaco de peles e uma jaqueta de couro; a última possível explicação examina o comportamento dos ativistas do ponto de vista de uma análise de custo-benefício onde o benefício é conquistar adeptos para a causa e o custo é desagradar a algumas pessoas.

Quando essa questão é considerada sob uma perspectiva evolutiva, são claras as vantagens para os ativistas de molestar usuários de peles. É pequeno o risco físico envolvido na ação de jogar tinta vermelha sobre o casaco de peles de uma mulher. Talvez você leve uma bolsada, mas um jovem e ágil ativista dos direitos dos animais deve ser capaz de evitar essa ameaça. Por outro lado, imagine se o mesmo manifestante jogar tinta vermelha na jaqueta de couro de um motociclista. Com sorte, ele terá que enfrentar uma perseguição e, muito provavelmente, socos e pontapés e talvez até armas, de parte da vítima e seus amigos. Nesse ambiente, é fácil ver como os ativistas com uma inclinação por protestar contra o uso de peles têm uma vantagem evolutiva sobre aqueles que protestam contra o uso de couro. Podemos então concluir que os ativistas dos direitos dos animais têm ou adquiriram as características de tiranos covardes? Essa conclusão tem certa lógica, mas penso que é muito simplista.

Talvez os manifestantes em favor dos animais sintam que, em um mundo finito, com tempo e recursos limitados, é preciso visar estrategicamente as atividades que abusam mais dos animais. Seguindo esse pensamento, são necessários vários arminhos, martas ou raposas para produzir um casaco de pele, enquanto uma jaqueta de couro provavelmente pode ser feita de uma única vaca. Ao atacarem usuários de casacos de pele, os ativistas estão se opondo e protestando contra a morte de vários animais. O usuário de couro está fazendo uso de um único animal morto. Portanto, talvez esses manifestantes sintam que é mais eficiente usar os recursos escassos para protestar contra o uso de peles. Contudo, essa lógica é falaciosa. Sem dúvida, em termos individuais, o usuário de pele é responsável pela morte de mais animais, mas na sociedade como um todo, para uso das pessoas, morrem muito mais vacas do que martas ou raposas. Segundo a lógica de usar recursos limitados com eficiência para protestar contra a morte de animais, os ativistas provavelmente deveriam atacar os usuários de couro, porque eles são mais presentes na sociedade.

Finalmente, vamos adotar algumas premissas diferentes sobre as motivações dos ativistas. Suponhamos que o desejo deles seja converter mais adeptos para sua causa. Suponhamos, também, que o custo de ganhar adeptos seja o número de pessoas a quem a manifestação irá desagradar. O objetivo é converter o maior número possível de pessoas pelo custo mais baixo. Em primeiro lugar, vamos examinar a atitude de visar os usuários de peles: peles, em geral, são usadas por mulheres maduras e ricas; usar casaco de pele é visto como uma forma extravagante de consumo; as criaturas cuja pele é usada são bonitinhas e atraem simpatia. Visar os usuários de casacos de pele não desagrada a muitas pessoas. Geralmente, as vítimas do protesto não geram tanta simpatia quanto os animais vitimados.

Comparemos essa situação com a do motociclista vestido de couro. Numa análise superficial, os motociclistas também não causam muita simpatia. É claro que, se forem visados por ativistas dos direitos dos animais, talvez conquistem um apoio perverso, do gênero "leões *versus* cristãos". Posso ver numa locadora de vídeo, bem ao lado de "Coleslaw Wrestling em Sturgis, Vol. IV", o vídeo "Motoqueiros pisoteiam o PETA, Vol. II".*

Lançando um olhar para mais longe, porém, o que os motociclistas fazem, por exemplo, no Dia da Independência? Eles vão com os amigos motociclistas, em formação, até um parque público onde fazem churrasco, tomam cerveja e soltam foguetes ao pôr do sol. Tirando a viagem em

---

* Coleslaw Wrestling — eventos em que mulheres em trajes menores lutam numa piscina cheia de salada de repolho; PETA — organização de defesa dos direitos dos animais. (*N. da T.*)

formação, fazem exatamente o que todo mundo faz no Dia da Independência. Portanto, atacar os motoqueiros por usarem roupas de couro poderia facilmente ganhar alguns simpatizantes para a causa dos ativistas, mas tem o potencial de desagradar a muito mais pessoas. Nem todo mundo tem um casaco de pele no guarda-roupa, mas a maioria tem sapatos ou cintos de couro, ou até mesmo uma jaqueta. Além disso, a maioria come carne. Portanto, é plausível que a lógica por trás da ação dos ativistas de direitos dos animais quando confrontam os usuários de peles tenha pouco a ver com covardia ou sobrevivência física. Talvez se trate da forma mais eficiente de gerar apoio para sua causa.

Talento acanhado, custos ocultos: os efeitos especiais expulsarão do mercado o coreógrafo de lutas mais talentoso do mundo? *(Jacob Lehman)*

Até 1999, Yuen Wo-Ping era um coreógrafo de lutas desconhecido, mesmo entre os conhecedores da arte nos Estados Unidos. Porém, desde que criou os combates no ar para os filmes *Matrix* e *O tigre e o dragão*, a demanda por seus serviços é quase ilimitada. Enquanto isso, William Hobbs, provavelmente o maior coreógrafo do mundo, que trabalhou em *Rob Roy*, *Ligações perigosas*, *O conde de Monte Cristo* e *Os três mosqueteiros* (1974), entre outros, continua a ter uma atratividade modesta. As lutas criadas por Hobbs são famosas entre aficionados e coreógrafos por sua precisão histórica, já que ele se recusa a incorporar movimentos que não são encontrados nos manuais de combate dos períodos em questão. Wo-Ping, por outro lado, utiliza imoderadamente recursos de wire-fu,* o que reflete muito pouco das verdadeiras técnicas de combate.

As lutas extravagantes de Wo-Ping, que parecem mais videogames que combates, são polêmicas. Elas contêm pouco valor narrativo em comparação com os conflitos de Hobbs, realistas e carregados de emoção, mas dão excelentes trailers e material de publicidade. Como resultado, Wo-

* Combates simulados em que os atores fazem malabarismos em alta velocidade, presos por cabos. (*N. da T.*)

Ping adquiriu um reconhecimento doméstico que lhe dá uma vantagem no mercado da coreografia de lutas, onde vale tudo. O custo de suas lutas fantasiosas é significativo. Em primeiro lugar, elas diminuem a apreciação popular pela habilidade incorporada no trabalho de Hobbs; além disso, elas obrigam outros a acelerarem suas lutas, utilizarem mais cabos e irem mais além nesse espectro, apenas para conquistar alguma plateia. Até mesmo Jackie Chan, há muito tempo o defensor do realismo no trabalho de dublês, apelou para o uso de cabos em seus filmes recentes, em vez de continuar a executar suas acrobacias quase impossíveis, mas muito reais. É inspirador e educativo ver o que seres humanos são realmente capazes de fazer em termos de velocidade, narração e acrobacias. A tendência para os efeitos especiais digitais e o trabalho com cabos sabota nossa admiração natural pelas habilidades dos artistas verdadeiramente talentosos, e só serve para ampliar o fosso entre a realidade e o que vemos na tela. As recompensas para os vencedores desse mercado do vale-tudo, porém, são suficientes para que os custos de se afastar da realidade pareçam pequenos para o indivíduo, em comparação com os lucros proporcionados por essa vantagem. A sociedade, porém, não ganha nada com os filmes em que alguém dá trinta passos por uma parede acima, em comparação com aqueles em que só se dão três. Não é do interesse de Wo-Ping (ou de qualquer outro participante) considerar esse custo, nem a perda de popularidade de William Hobbs ou Jackie Chan como resultado de sua ação. Isso resultará em "excesso de concorrentes" no mercado do vale-tudo, com um lucro nulo para a sociedade e ainda um custo real à medida que os efeitos especiais se tornarem mais importantes que o treinamento e o talento.

Palavras finais

Tendo lido até aqui, você já está bem adiantado na estrada para se tornar um naturalista da economia. Talvez você já tenha descrito alguns dos exemplos do livro para familiares e amigos. Nesse caso, cada uma dessas conversas terá aprofundado sua compreensão acerca dos princípios econômicos ilustrados por esses exemplos.

Em terra de cego, quem tem um olho é rei. Como observamos na Introdução, em geral, mesmo quem teve aulas de economia na universidade adquiriu pouco conhecimento prático dos princípios básicos dessa matéria. Em termos relativos, portanto, você já é um especialista em economia.

Talvez você também já tenha começado a identificar novos detalhes e padrões no que observa no dia a dia. Ao fazer compras, muito provavelmente já encontrou diversos exemplos de barreiras de desconto. Se quiser um grande desafio, procure encontrar exemplos de produtos que nunca são vendidos com desconto para os compradores dispostos a superar algum tipo de barreira. Esses produtos existem, mas são raros. Tentar localizá-los levará sua atenção para uma variedade de barreiras interessantes que nunca observou.

Se algum amigo lhe perguntar por que todos os anos tantas lojas fazem liquidação de lençóis e toalhas no mês de janeiro, você provavelmente será capaz de produzir uma explicação econômica razoável. Você poderia explicar que, ao darem descontos, os lojistas conseguem vender mais unidades a pessoas que não comprariam sem eles. É claro que o desafio para o vendedor é evitar que compradores dispostos a pagar o preço total comprem com desconto. Você descreveria para seu amigo que, por essa razão, as promoções de janeiro apresentam aos compradores dois tipos específicos de barreira: o aspirante ao desconto precisa se dar ao trabalho de procurar saber quando os artigos serão colocados à venda e ele precisa se armar de paciência e esperar para fazer as compras nessa época. Você explicaria que essas barreiras funcionam porque, em geral, as pessoas dispostas a superá-las não teriam comprado roupas de cama e mesa naquele ano, ou pelo menos em tal quantidade, se não houvesse descontos.

Seu amigo poderia perguntar por que outros também não superam essas barreiras. Você responderia que elas são incômodas demais para pessoas cujo tempo tem alto custo de oportunidade. Se Bill e Melinda Gates quiserem mais toalhas no mês de junho, não esperarão até janeiro para comprá-las. Essas pessoas, em geral, acabam pagando o preço de tabela.

Se alguém lhe perguntar por que os fabricantes oferecem descontos para compradores que lhes enviam cupons de reembolso, você dará uma explicação semelhante. As pessoas com baixo custo de oportunidade sobre o tempo em geral são as que não querem ou não podem comprar o produto se não houver desconto. Essas são majoritariamente pessoas dispostas a colocar um cupom no correio e aguardar pacientemente pelo cheque do reembolso que virá até seis meses depois. Minha mãe, uma compradora sensível ao preço por excelência, faz isso o tempo todo. Se você faz o mesmo, certamente é um comprador altamente sensível ao preço. Mas se você nunca se deu ao trabalho de colocar no correio um cupom de reembolso, então certamente não é esse tipo de comprador. Os vendedores não irão dar-lhe um desconto porque sabem que, mesmo sem isso, você comprará seus produtos.

Tendo visto muitos casos em que os interesses individuais e coletivos não coincidem, você rapidamente perceberá muitos outros. Por exemplo, se tem filhos no ensino médio, você estará mais predisposto a perceber que, embora atualmente os cursos preparatórios para o exame nacional do ensino médio pareçam essenciais para os estudantes que aspiram ingressar numa das melhores universidades, o grande volume de tempo e dinheiro despendido nesses cursos beneficia pouco os estudantes como grupo. A luta pela admissão numa universidade de primeira linha é essencialmente uma competição: por mais que as pessoas se esforcem calorosamente numa competição, o número de prêmios continua limitado.

É surpreendente ver quantas competições desse tipo existem e como é difícil encontrar alguma cujos competidores não adotem comportamentos equivalentes na prática a uma corrida armamentista perdulária. No futebol estudantil, por exemplo, as universidades procuram melhorar as chances de ganhar gastando mais com treinadores, recrutamento, equipamentos de treinamento e similares. No entanto, por mais que as escolas gastem, num determinado sábado no máximo a metade dos times que jogam pode vencer.

Não passa despercebido o desperdício dos investimentos utilizados para melhorar desempenho e que se anulam mutuamente. Em praticamente todos os casos, os organismos que governam aquela atividade instituem diversas medidas para limitar esses investimentos. Por exemplo, nos automóveis da Fórmula 1, a cilindrada está limitada a 2,4L, o que poupa os competidores da necessidade de investir em motores maiores. Do mesmo modo, todas as ligas de esportes profissionais impõem limites estritos ao número de jogadores de cada time, restringindo dessa forma o custo dos times em campo.

Os acordos para limitar a corrida armamentista não estão de forma alguma restritos à competição atlética formal. Em muitos domínios importantes da vida, as recompensas dependem fortemente do desempenho relativo. Dessa forma, como vimos nos capítulos anteriores, o limite de idade de ingresso na escola, a exigência de uniformes escolares, as normas de segurança no trabalho e até mesmo as leis que proíbem a poligamia servem para conter diversos tipos de corrida armamentista. Se você aprecia desafios, veja este: tente encontrar um exemplo de atividade organizada que recompense o desempenho relativo, mas não faça qualquer esforço para limitar os investimentos que os competidores fazem para melhorar o próprio desempenho e que se anulam mutuamente. Se existir uma atividade como essa, eu não a encontrei. As regras são dados. Observem as regras que diversos grupos impõem e procure entender qual pode ser seu objetivo.

Se você está pensando em mudar de emprego ou tem filhos que estejam tentando escolher uma profissão, os exemplos que ilustram a Teoria dos Diferenciais Compensatórios de Salários podem ter uma relevância especial. Pelo menos estou inclinado a acreditar nisso, tendo percebido como essa teoria muitas vezes levou meus alunos a pensarem de forma mais inteligente sobre a escolha de carreira. Muitos deles começam com o objetivo único e dominante de encontrar o salário mais alto possível. Porém, como já vimos, aceitar o emprego de salário mais alto inevitavelmente implica fazer concessões em outras dimensões importantes para a satisfação no trabalho. Como, em geral, se considera menos atraentes os empregos que envolvem concessões morais, horários rígidos, perspectivas de promoção escassas e pouca estabilidade, esses empregos devem pagar mais para compensar essas características.

Algumas pessoas aceitariam de bom grado essas concessões em troca de um salário mais alto, mas há aqueles que nem estão conscientes de que elas existem. Mesmo nos seus primeiros dias como naturalista da economia você está em boa posição para perceber que uma oferta de salário mais alto pede um exame minucioso. Se ela parecer boa demais para ser verdade, provavelmente será.

Você também está em boa posição para saber quando uma informação pode ser aceita sem questionamento e quando é preciso ceticismo. Se os interesses de duas partes coincidem perfeitamente, não há razão para procurarem enganar uma à outra. Portanto, quando um jogador de bridge usa lances convencionados para sinalizar ao parceiro a força de sua mão, essa declaração só precisa ser inteligível. O parceiro não tem razão para questionar-lhe a sinceridade. Mas quando um vendedor ressalta a qualidade de seu produto, o comprador tem motivos de sobra para ficar alerta. O naturalista da economia sabe que essas afirmativas só são dignas de crédito se forem difíceis de simular. A oferta de uma garantia abrangente, por exemplo, é um sinal relativamente confiável de qualidade do produto, já que o vendedor de um produto de baixa qualidade não pode fazer esse tipo de oferta.

O princípio de "não deixar o dinheiro solto na mesa" previne o naturalista da economia para ter cuidado com prognósticos de consultores de investimentos. Se um consultor declarar que as ações de uma empresa estão subvalorizadas, ele na verdade está declarando que há "dinheiro solto na mesa". No entanto, o dinheiro nunca fica solto na mesa por muito tempo sem ser recolhido. Se era do conhecimento de outras pessoas que as ações estavam subvalorizadas, o naturalista da economia sabe que deve questionar por que essas pessoas não se apressaram a comprá-las, fazendo seu preço subir. Será que o consultor está afirmando que tem informação privilegiada? Os naturalistas da economia espertos reconhecem o charlatanismo daqueles que prometem uma fortuna da noite para o dia pela compra de ações subvalorizadas.

Suas habilidades de naturalista da economia podem ajudá-lo a tomar decisões mais acertadas no mercado, mas, além disso, é muito gratificante continuar a desenvolvê-las. Praticamente todas as características do ambiente, todo o aspecto do comportamento humano e animal, é o resultado implícito ou explícito da interação entre custos e benefícios. A experiência diária tem texturas e padrões ricos que se tornam visíveis ao olho experiente do naturalista da economia. Descobri-los é uma aventura intelectual que você poderá saborear pelo resto da vida.

Notas

Introdução

18 *Cerca de 19% dos estudantes universitários dos Estados Unidos fazem apenas um período de economia*: W. L. Hansen, M. K. Salemi e J. J. Siegfried, "Use It or Lose lt: Teaching Economic Literacy", *American Economic Review* (Papers and Proceedings), maio 2002, 463-472.

18 *quando esses estudantes fazem um teste para comprovar o conhecimento de noções básicas da disciplina*: W. L. Hansen, M. K. Salemi e J. J. Siegfried, "Use It or Lose It: Teaching Economic Literacy", *American Economic Review* (Papers and Proceedings), maio 2002, 463-472.

19 *agora temos provas convincentes de que a maioria dos alunos não domina fundamentalmente esse conceito*: Paul J. Ferraro e Laura O. Taylor, "Do Economists Recognize an Opportunity Cost When They See One? A Dismal Performance from the Dismal Science", *B.E. Journals in Economic Analysis and Policy* 4, n. 1 (2005).

21 *Por exemplo, eis uma típica pergunta darwiniana*: para ver uma excelente introdução ao esquema darwiniano, ver Richard Dawkins, *O gene egoísta*, (Companhia das Letras, 2007).

21 *Os vencedores dessas batalhas passam a ter um acesso sexual praticamente exclusivo*: ver www.pbs.org/wgbh/nova/bowerbirds/courtship.html.

23 *Tal como descreveram Walter Doyle e Kathy Carter, idealizadores da teoria narrativa da aprendizagem*: Walter Doyle e Kathy Carter, "Narrative and Learning to Teach: Implications for Teacher Education Curriculum", http://faculty.ed.uiuc.edu/westbury/JCS/Vol35/DOYLE.HTM.

23 *O psicólogo Jerome Bruner*: Jerome Bruner, "Narrative and Paradigmatic Modes of thought", edição de E. W. Eisner, *Learning and Teaching the Ways of Knowing*, 84º Anuário, pt. 2 da National Society for the Study of Education (Chicago: University of Chicago Press, 1985), 97-115.

24 *No entanto, nem sempre ele é fácil de aplicar*: os exemplos seguintes têm por base o trabalho dos psicólogos Daniel Kahneman e o falecido Amos Tversky. O trabalho deles é repetidamente citado nas notas do Capítulo 10.

26 *Quando Ben Bernanke e eu descrevemos... o exemplo de Bill Tjoa*: Robert H. Frank e Ben S. Bernanke, *Principles of Economics* (Nova York: McGraw-Hill, 2000).

26 *É verdade, há essa exigência*: a Seção 4.34.4 do *ADA Accessibility Guidelines for Buildings and Facilities* (Apêndice da parte 1191, 36 CFR Capítulo 11, de acordo com o Americans with Disabilities Act de 1990) declara: "As instruções e todas as informações de uso (de um caixa automático) devem ser acessíveis e independentemente utilizáveis por indivíduos com deficiência visual."

Capítulo 1 • Caixas de leite retangulares e latas de refrigerante cilíndricas: aspectos econômicos do desenho industrial

36 *Se essas latas fossem mais baixas e mais largas, gastariam uma quantidade muito menor de alumínio:* Ver o problema 4, "The Math page", em www.themathpage.com/aCalc/applied.htm.

41 *As pesquisas mostraram que amarelo vivo é a melhor cor*: S. S. Solomon e J. G. King, "Influence of Color on Fire Vehicle Accidents", *Journal of Safety Research*, 26 (1995): 41-48; e S. S. Solomon, "Lime-Yellow Color As Related to Reduction of Serious Fire Apparatus Accidents: The Case for Visibility in Emergency Vehicle Accident Avoidance", *Journal of the American Optometric Association*, 61 (1990): 827-831.

Capítulo 2 • Amendoins de graça e baterias caras: a oferta e a procura em ação

48 *Assim, os fazendeiros do setor dos laticínios que adotaram rapidamente a somatotropina bovina*: M. A. Tarrazon-Herrera e outros, "Effects of Bovine Somatotropin on Milk Yield and Composition in Advanced Lactation Fed Low- or High-Energy Diets", *Journal of Dairy Science*, 83 (2000): 430-434.

50 *O modelo econômico da oferta e da procura*: Para ver uma descrição mais detalhada do modelo da oferta e da procura, ver o capítulo 3 de R. H. Frank e Ben S. Bernanke, *Principles of Economics*, 3ª ed. (Nova York: McGraw-Hill, 2006).

56 *os aposentados trocarem suas casas*: Deborah Kades, "The Thing About a Lot of New Houses Is They're Big: Even Retired Couples Want a Lot of Room to Rattle Around In and for Visiting Grandchildren", *Capital Times & Wisconsin State Journal*, 21 de junho de 2001, A5; Kelly Greene, "Florida Frets It Doesn't Have Enough Elderly", *Wall Street Journal*, 18 de outubro de 2002, B1.

62 *Como descreve Chris Anderson em seu livro* A cauda longa (Editora Campus, 2006).

65 *De acordo com o Egg Nutrition Center, de Washington, D.C., nem o sabor, nem a qualidade nutritiva do ovo*: ENC, "Egg production", www.enconline.org/trivia.htm.

66 *As galinhas marrons tendem a ser maiores que as brancas*: Ver "Basic Egg facts", http://gk12calbio.berkeley.edu/lessons/eggfacts.pdf.

71 *As escolas do topo não podem cobrar mais porque precisam tanto dos melhores alunos*: Há uma ampla discussão deste assunto em R. H. Frank e P. J. Cook, *Tudo ou nada* (Minas Gerais: Futura, 1996), capítulo 8.

Capítulo 3 • Por que trabalhadores igualmente talentosos ganham salários diferentes e outros mistérios do mundo do trabalho

73 *A modelo Heidi Klum ganhou US$7,5 milhões em 2005*: Forbes.com, "The Celebrity 100", www.forbes.com/2006/06/12/06celebrities_money-power-celebrities-list_land.html.

75 *Embora muitos fatores estejam envolvidos no processo, um deles se destaca: a rápida aceleração das mudanças tecnológicas que aumentam a influência dos indivíduos mais aptos*: para uma discussão detalhada dessa interpretação, ver R. H. Frank e R J. Cook, *Tudo ou nada* (Minas Gerais: Futura, 1996).

76 *Mas os estudos sugerem que os ganhos salariais no topo ocorreram principalmente porque as decisões dos executivos se tornaram muito mais importantes para o resultado financeiro das empresas*: Ver, por exemplo, Xavier Gabaix and Augustin Landier, "Why Has CEO Pay Increased So Much?", MIT Department of Economics Working Paper nº 06-13, 8 de maio de 2006. Disponível na página da SSRN: http://ssrn.com/abstract=901826.

80 *Diante das provas científicas amplamente divulgadas de que a nicotina é altamente causadora de dependência*: ver U.S. Surgeon General, *The Health Consequences of Smoking: Nicotine Addiction* (Washington, D.C.: United States Government Printing Office, 1988).

80 *a Altria, a empresa controladora da fabricante de cigarros Philip Morris*: Forbes.com, "CEO Compensation", www.forbes.com/lists/2006/12/company_1.html.

81 *O resultante padrão de salários em cada empresa funciona na prática como um Imposto de Renda progressivo*: para uma discussão mais ampla dessa questão, ver R. H. Frank, *Choosing the Right Pond: Human Behavior and the Quest for Status* (Nova York: Oxford University Press, 1985), capítulos 3-4.

85 *Uma explicação para esse perfil temporal de salários*: para um desenvolvimento formal dessa explicação, ver Edward Lazear, "Agency, Earnings Profiles, Productivity, and Hours restrictions", *American Economic Review*, 71 (1981): 606-620.

85 *É possível que oferecer salários mais altos crie uma relação que ajuda a garantir um comportamento honesto*: para uma discussão mais ampla dessa possibilidade, ver George Akerlof, "Labor Markets as Partial Gift exchange", *Quarterly Journal of Economics*, novembro, 1982, 543-569.

87 *Em 1999, quando a Napster apresentou o primeiro programa de compartilhamento de arquivos de música pela internet, estrelas consagradas*: Barry Willis, "Napster Reinstates Some Users, Attacks Offspring, Angers Madonna", *Stereophile*, junho de 2000.

89 *De acordo com uma pesquisa recente, isso ocorre porque muitos motoristas de táxi só trabalham o suficiente*: Colin Camerer, Linda Babcock, George Loewenstein e Richard Thaler, "Labor Supply of New York City Cab Drivers: One Day at a Time", *Quarterly Journal of Economics*, 112 (1997): 407-442.

91 *Portanto, as fornecedoras de energia elétrica atendem aos curtos picos de demanda com geradores*: para um resumo esclarecedor da forma como as fornecedoras de energia elétrica empregam tipos diferentes de equipamento para atender a cargas de durações diversas, ver Public Service Commission of Wisconsin, "Electric Power Plants", http://psc.wi.gov/thelibrary/publications/electric/electric04.pdf.

92 *inevitavelmente, causaria exigências de aumento de salário da parte dos advogados da empresa*: para uma discussão mais ampla da questão, ver R. H. Frank, *Choosing the Right Pond* (Nova York: Oxford University Press, 1985).

93 *Nesses casos, como os médicos da organização de manutenção de saúde arcam com o custo do exame*: para uma profunda análise de como os incentivos afetam o comportamento dos médicos, ver Martin Gaynor, James Rebitzer e Lowell Taylor, "Physician Incentives in HMOs", *Journal of Political Economy*, agosto de 2004, 915-931.

Capítulo 4 • Por que alguns consumidores pagam mais que outros: aspectos econômicos dos preços com desconto

96 *o vendedor permite ao comprador adquirir o produto com desconto, desde que o comprador aceite ultrapassar algum tipo de barreira*: para uma ampla discussão do método das barreiras na discriminação dos preços, ver Robert H. Frank e Ben S. Bernanke, *Principles of Economics*, 3ª ed. (Nova York: McGraw-Hill, 2006), capítulo 10.

100 *Ao fazer descontos para os compradores sensíveis ao preço, sem reduzir o valor para os outros*: para uma ampla discussão sobre como a precificação com barreiras em geral promove a eficiência, ver R. H. Frank, "When Are Price Differentials Discriminatory?", *Journal of Policy Analysis and Management*, inverno de 1983, 238-255.

110 *A maneira clandestina pela qual a rede vende a opção short*: para uma discussão mais detalhada do café Starbucks Short, ver Tim Harford, "Solving the Mystery of the Elusive 'short' Cappuccino", *Slate*, 6 de janeiro de 2006, www.slate.com/id/2133754.

Capítulo 5 • Corridas armamentistas e a tragédia dos comuns

121 *Se todos os pescadores forem pescar sempre que o valor líquido do que eles esperam capturar exceder o custo de oportunidade do tempo e de outras despesas*: Garrett Hardin, "The Tragedy of the commons", *Science* 162 (1968): 1243-1248.

122 *Tal como a pesca predatória nos oceanos, a prescrição indiscriminada de antibióticos é uma tragédia dos comuns*: para ver uma discussão detalhada do problema da resistência a antibióticos, consultar a página do Center for Disease Control and Prevention em www.cdc.gov/drugresistance/community.

123 *Mas Austen descreve a irmã de Elinor, Marianne*: *Razão e sensibilidade* (Rio de Janeiro: Best*Seller*, 2006).

123 *Os homens gostam de uma figura feminina exagerada*: Caroline Cox, Stiletto (Nova York: Collins Design, 2004).

129 *A julgar pelo comportamento da maioria dos motoristas, o benefício parece exceder o custo*: para uma animada discussão desse exemplo e de diversos outros semelhantes, ver Thomas Schelling, Micromotives and Macrobehavior (Nova York: Norton, 1978). Esse livro cheio de ideias estimulantes também é uma excelente leitura.

131 *Por isso as regras de uso do capacete são tão atraentes*: Thomas Schelling, *Micromotives and Macrobehavior* (Nova York: Norton, 1978).

Capítulo 6 • O mito da propriedade

135 *embora o direito à propriedade privada crie benefícios imensos*: para uma profunda discussão dessa questão, ver Stephen Holmes e Cass Sunstein, *The Cost of Rights: Why Liberty Depends on Taxes* (Nova York: Norton, 1999).

136 *os Ploof moveram uma ação contra Putnam, e uma corte de Vermont decidiu a favor da família*: ver *Ploof versus Putnam, 81 Vt. 471, 71 A. 188* (1908).

139 *Uma explicação parcimoniosa para o motivo pelo qual os dois grupos de indígenas norte-americanos adotavam abordagens tão distintas*: Para mais detalhes sobre essa questão, ver Martin Bailey, "Approximate Optimality of Aboriginal Property Rights", *Journal of Law and Economics*, abril 1992, 183-198.

139 *Elas têm por base um raciocínio econômico simples — os interesses da comunidade não são bem atendidos se uma propriedade valiosa ficar ociosa*: Para uma

análise detalhada dos direitos da usucapião, ver Cora Jordan, "Trespass, Adverse Possession, and Easements", Lectric Law Library, www.lectlaw.com/files/lat06.htm.

142 *As variedades mais raras e preciosas vêm do esturjão beluga, que pode chegar a 9m de comprimento*: ver uma descrição detalhada desse peixe admirável em Prosanta Chakrabarty, "Huso Huso (Beluga Sturgeon)", Animal Diversity Web, University of Michigan Museum of Zoology, http://animaldiversity.ummz.umich.edu/site/accounts/information/Huso-huso.html.

144 Na maioria das vezes, compramos livros em livrarias comerciais ou os pegamos emprestado em bibliotecas públicas: em 2004, a Blockbuster Video lançou a Bookbuster, uma locadora de livros. Com aluguéis semanais de US$5,99 para livros de publicação recente, o serviço atraiu um número relativamente baixo de clientes.

147 *Os trabalhadores que estão livres para vender a segurança em troca de salários mais altos talvez compreendam*: para uma discussão mais detalhada desse argumento a favor das normas de segurança, ver R. H. Frank, *Choosing the Right Pond* (Nova York: Oxford University Press, 1985).

148 *O resultado, em geral, é uma corrida na qual todos precisam trabalhar até as 20h toda noite, só para evitar ficar para trás*: Um modelo formal que incorpora essa interpretação pode ser encontrado em George Akerlof, "The Economics of Caste and of the Rat Race and Other Woeful Tales", *Quarterly Journal of Economics*, novembro de 1976, 599-617.

148 *Em setembro de 2006, os organizadores da semana de moda anual de Madri*: Associated Press, "Spanish Fashion Show Rejects Too-skinny models", www.msnbc.msn.com/id/14748549.

149 *As meninas sonham parecer com modelos de passarela*: Associated Press, "As Models Strut in London, New Call to Ban the Skeletal", *New York Times*, 17 de setembro de 2006.

152 *De acordo com o órgão de segurança no trânsito, o National Highway Traffic Safety Administration*: uma ampla discussão sobre a decisão de exigir cintos de segurança em ônibus escolares pode ser vista na pesquisa da National Highway Traffic Safety Administration, "School Bus Crashworthiness Research", http://www-nrd.nhtsa.dot.gov/departments/nrd-11/SchoolBus.html.

152 *os ônibus escolares têm poltronas rigidamente compartimentalizadas, com encostos altos e resistentes a choques*: Nick Anderson e David Cho, "Bus Crash Renews Debate on Seat Belts", *Washington Post*, 19 de abril de 2005, B1.

154 *Uma influente escola de pensamento econômico afirma que as leis evoluem de modo a promover a eficiência*: para uma eloquente defesa dessa premissa, ver Richard Posner, *Economic Analysis of Law*, 2ª edição (Boston: Little, Brown, 1977).

155 *Mas a visão dos interesses especiais não deixa de ter um poder explanatório próprio*: uma descrição precoce dessa visão pode ser vista em George J. Stigler, "The Theory of Economic Regulation", *Bell Journal of Economics and Management Science*, primavera de 1971, 3-21.

155 *As provas de que falar ao telefone celular enquanto se dirige aumenta o risco de acidente*: ver S. G. Klauer e outros, *The Impact of Driver Inattention on Near-Crash/Crash Risk* (Springfield, VA: National Technical Information Service, 2006). Também disponível em www-nrd.nhtsa.dot.gov/departments/nrd-13/810594/images/810594.pdf.

157 *nos últimos anos foram derrotadas mais de 110 tentativas de banir os detectores de radar em 33 estados*: National Conference of State Legislatures, "Radar Detectors, Lasers and Scanners: A Legislative Overview", hwww.ncsl.org/programs/transportation/radar.htm.

157 *As pesquisas mostram consistentemente que mais de 90% dos cidadãos se acreditam motoristas acima da média*: para uma análise fascinante da comprovação do excesso de autoconfiança, ver Thomas Gilovich, *How We Know What Isn't So* (Nova York: Free Press, 1999).

Capítulo 7 • Decifrando os sinais do mercado

161 *No entanto, estudos mostram que essas recomendações são surpreendentemente parciais*: Roni Michaely e Kent Womack, "Conflict of Interest and the Credibility of Underwriter Analyst Recommendations", *Review of Financial Studies*, 12, nº 4 (1999): 653-686.

162 *sendo mais de 99% delas no sentido de comprar ou manter as ações*: Ver www.turtletrader.com/analysts-bias.html.

163 *para que sinais trocados por potenciais adversários sejam convincentes, eles devem ser custosos (ou pelo menos difíceis) de simular*: John R. Krebs e Richard Dawkins, "Animal Signals: Mind Reading and Manipulation", em J. R. Krebs e N. B. Davies, eds. *Behavioral Ecology: An Evolutionary Approach* (Oxford: Blackwell Scientific, 1984), 282-309.

169 *Tendo escolhido*: R. H. Frank, "How Long Is a Spell of Unemployment?" *Econometrica*, março de 1978, 295. De acordo com os padrões contemporâneos, o trecho é um exemplar moderado de formalismo em um modelo econômico. Para evitar trazer desconforto a algum colega, decidi usar um excerto de um de meus próprios artigos.

170 *Por exemplo, em um artigo intitulado "Estratégias táticas de uma prostituta"*: Maria Lugones, "The Tactical Strategies of the Streetwalker", em *Pilgrimages/peregrinajes: Theorizing Coalition Against Multiple Oppressions* (Lanham, MD: Rowman & Littlefield, 2003), 207-237.

172 *Essa assimetria pode ter importantes implicações na precificação de carros usados*: para uma discussão mais profunda, ver George Akerlof, "The Market for 'Lemons': Quality Uncertainty and the Market Mechanism", *Quarterly Journal of Economics* 84, nº 3 (1970): 488-500.

175 *o colapso do segundo ano é um exemplo daquilo que os estatísticos chamam de regressão à média*: para uma apresentação mais formal desse fenômeno, ver T. D. Cook e D. T. Campbell, *Quasi-Experimentation: Design and Analysis Issues for Field Settings* (Chicago: Rand McNally, 1979), 52f.

176 *A explicação envolve a regressão à média, o mesmo fenômeno estatístico que explica o colapso do segundo ano dos jogadores considerados os melhores do ano*: Daniel Kahneman e Amos Tversky, "On the Psychology of Prediction", *Psych Review* 80 (1973): 237-251.

177 *um estilo gerencial apoiador tem mais possibilidade de suscitar bons desempenhos dos empregados que um estilo muito crítico*: Robert Cialdini verificou que até elogios pouco sinceros geram efeito positivo sobre o desempenho. Robert Cialdini, *Influence: Science and Practice*, 3ª edição (Nova York: Harper Collins, 1993). Ver também Thomas C. Gee, "Students' Responses to Teacher Comments", *Research in the Teaching of English*, outono de 1972, 212-221; Winnifred Taylor e K. C. Hoedt, "The Effect of Praise on the Quantity and Quality of Creative Writing", *Journal of Educational Research*, outubro de 1966, 80-83.

Capítulo 8 • O naturalista da economia cai na estrada

179 *o psicólogo Jerome Kagan propõe que muitas normas culturais podem ser vistas de maneira mais frutífera como adaptações*: Jerome Kagan, *The Nature of the Child* (Nova York: Basic, 1984).

181 *apenas pouco mais da metade dos 70 bilhões de latas de alumínio*: Container Recycling Institute, "The Aluminum Can's Dirty Little Secret", http://container-recycling.org/mediafold/newsrelease/aluminum/2006-5-AlumDirty.htm.

181 *No entanto, quase 90% das latas de alumínio de bebidas vendidas no Brasil são recicladas*: Aluminum Association, "Brazil World Record Holder in Aluminum Can Recycling Rate", www.aluminum.org/Template.cfm?section=Home&template=/contentManagement/contentDisplay.cfm&contentlD=6669.

151 *De acordo com Pat Franklin, do Container Recycling Institute*: Pat Franklin, "US$600 Million Worth of Used Aluminum Beverage Cans Landfilled in 1996", http://container-recycling.org/mediafold/newsrelease/aluminum/1997-4alum.htm.

186 *Em setembro de 2006, ele correspondia a 4,6% nos Estados Unidos, porém a 8,7% na Alemanha*: "OECD Standardized Unemployment Rates", www.oecd.org/dataoecd/46/33/37668128.pdf.

187 *A resposta resumida é que os Estados Unidos impõem uma tarifa superior a 100% sobre o açúcar importado*: Thomas Pugel, "How Sweet It Is (or Isn't)", in *International Economics*, 13ª edição (Nova York: McGraw-Hill, 2006), p. 202.

187 *Por exemplo, estima-se que a tarifa sobre o açúcar aumente o lucro anual de um grande produtor da Flórida em US$65 milhões*: Thomas Pugel, "How Sweet It Is (or Isn't)", in *International Economics*, 13ª edição (Nova York: McGraw-Hill, 2006), p. 202.

189 *Em consequência da alta densidade populacional de Cingapura, o governo daquele país adotou medidas agressivas para conter a poluição e o congestionamento*: Para um resumo da taxação de carros particulares pelo governo de Cingapura, ver ExPat Singapore, "Owning a vehicle", www.expatsingapore.com/once/cost.shtml.

193 *Em média, os casais japoneses gastam mais do que duas vezes o que os casais norte-americanos gastam para celebrar o casamento*: Miki Tanikawa, "Japanese Weddings: Long and Lavish (Boss Is Invited)", *New York Times*, 26 de fevereiro de 1995, http://query.nytimes.com/gst/fullpage.html?res=990CE7D6143FF935A15751C0A963958260.

Capítulo 9 • O encontro da psicologia com a economia

195 *Grande parte do trabalho pioneiro da economia comportamental foi realizada por dois psicólogas israelenses, Daniel Kahneman e o falecido Amos Tversky*: Daniel Kahneman, Paul Slovic e Amos Tversky, *Judgment Under Uncertainty: Heuristics and Biases* (Nova York: Cambridge University Press, 1982); Thomas Gilovich, Dale Griffin e Daniel Kahneman, eds. *Heuristics and Biases: The Psychology of Intuitive Judgment* (Nova York: Cambridge University Press, 2002); e Richard Thaler, *The Winner's Curse* (Princeton, NJ: Princeton University Press, 1994).

195 *eles pediram a um grupo de estudantes universitários para estimar o percentual de nações africanas que são membros da ONU*: Amos Tversky e Daniel Kahneman, "Judgment Under Uncertainty: Heuristics and Biases", *Science* 185 (1974): 1124-1130.

196 *A Cornell University tem um índice de suicídios igual a 4,3 por 100 mil estudantes-ano, correspondendo a menos da metade da média nacional de suicídios de estudantes universitários*: Katharyn Jeffreys, "MIT Suicides Reflect National Trends", *The Tech*, 18 de fevereiro de 2000, http://www.tech.mit.edu/V120/N6/comp6.6n.html.

196 *Por exemplo, quando tentam estimar a frequência de algum acontecimento, as pessoas geralmente usam a heurística da disponibilidade*: Amos Tversky e Daniel Kahneman, "Judgment Under Uncertainty: Heuristics and Biases", *Science* 185 (1974): 1124-1130.

197 *Como mostraram Itamar Simonson e Amos Tversky*: Itamar Simonson e Amos Tversky, "Choice in Context: Tradeoff Contrast and Extremeness Aversion", *Journal of Marketing Research*, agosto de 1992, 281-295.

201 *Uma explicação mais promissora é que os hotéis não queiram contrariar os clientes cobrando preços que estes irão considerar injustos*: Richard Thaler, "Mental Accounting and Consumer Choice", *Marketing Science*, verão de 1985, 199-214.

202 *Contrariando esse padrão, porém, nos últimos anos assistiu-se a um grande aumento na terceirização de serviços de manutenção*: para uma análise desse fenômeno na indústria da educação de nível superior, ver Geoffrey White e Flannery Hauck, eds., *Campus, Inc.: Corporate Power in the Ivory Tower* (Nova York: Prometheus, 2000).

202 *empregados que executam a mesma tarefa ganham mais se trabalharem para empregadores mais prósperos*: um levantamento de provas relevantes é encontrado em Richard Thaler, "Interindustry Wage Differentials", *Journal of Economic Perspectives*, primavera de 1989, 181-193.

204 *a Arcnet, uma empresa de telecomunicações localizada em Holmdel, Nova Jersey, procurou diminuir os custos de recrutamento e treinamento oferecendo uma BMW "de graça"*: CNN.com, "Some Employers Shift into High Gear to Keep Good Workers", www.cnn.com/US/9907/01/wage.pressures.

205 *economista Richard Thaler, que observou que os melhores presentes em geral são coisas que não compraríamos para nós mesmos*: Richard Thaler, "Mental Accounting and Consumer Choice", *Marketing Science*, verão de 1985, 199-214.

207 *as escolhas das pessoas são consideravelmente condicionadas por um impulso psicológico para construir e preservar a identidade individual e coletiva*: George A. Akerlof e Rachel E. Kranton, "Economics and identity", *Quarterly Journal of Economics*, agosto de 2000, 715-753.

216 *a soma do tempo de espera de todos os motoristas que vão para o sul seria de 12 minutos e 30 segundos*: Se ninguém seguisse a norma de dar preferência a quem chegou primeiro, todos os carros que vão para o norte cruzariam primeiro a ponte. O primeiro levaria 30 segundos para atravessar, mas cada um dos seguintes sairia da ponte apenas 10 segundos depois do anterior. Portanto, quando todos os carros que vão para o norte tivessem atravessado a ponte, o primeiro carro na direção oposta teria esperado dois minutos (30 segundos pelo primeiro carro que vai para o norte, mais 10 segundos adicionais para cada um dos nove carros restantes). O tempo de espera do segundo carro que vai para o sul seria 10 segundos menor (já que ele chegou 10 segundos depois do primeiro motorista em direção ao sul), e cada um dos carros seguintes teria esperado 10 segundos menos que o imediatamente anterior. Logo, o tempo total de espera dos dez motoristas que vão para o sul seria de 12 minutos e 30 segundos.

216 *Se você tiver a paciência de somar o tempo de espera, verá que o total de espera será de 80 minutos*: O primeiro carro que vai para o norte atravessa; em seguida,

atravessa o primeiro carro em direção ao sul, depois o segundo para o norte, e então o segundo para o sul, e assim por diante. Neste caso, o primeiro carro que vai para o sul espera apenas 30 segundos (90 segundos menos que no caso anterior). Portanto, o efeito da norma para esse motorista é favorável. O segundo carro para o norte espera 50 segundos para entrar na ponte (os 20 segundos restantes da travessia do primeiro carro para o norte, mais os 30 segundos da travessia do primeiro carro para o sul). O segundo carro que vai para o sul espera 1 minuto e 20 segundos para entrar na ponte (como chegou 10 segundos depois dos primeiros carros, deve esperar os 20 segundos restantes da travessia do primeiro carro para o norte, mais 30 segundos da travessia do primeiro carro para o sul e 30 segundos da travessia do segundo carro para o norte). Para os motoristas que seguem a regra de preferência para quem chega primeiro, resumimos na tabela a seguir os tempos de chegada, de entrada na ponte e espera:

1. Tempo de Chegada (Minutos/segundos)

	1	2	3	4	5	6	7	8	9	10
Carros para o norte	0:00	0:10	0:20	0:30	0:40	0:50	0:60	0:70	0:80	0:90
Carros para o sul	0:00+	0:10	0:20	0:30	0:40	0:50	0:60	0:70	0:80	0:90

2. Tempo de Entrada na Ponte

	1	2	3	4	5	6	7	8	9	10
Carros para o norte	0:00	1:00	2:00	3:00	4:00	5:00	6:00	7:00	8:00	9:00
Carros para o sul	0:30+	1:30	2:30	3:30	4:30	5:30	6:30	7:30	8:30	9:30

3. Tempo de Espera (= Tempo de Entrada na Ponte – Tempo de Chegada)

	1	2	3	4	5	6	7	8	9	10	Total
Carros para o norte	0:00	0:50	1:40	2:30	3:20	4:10	5:00	5:50	6:40	7:30	37:30
Carros para o sul	0:30+	1:20	2:10	3:00	3:50	4:40	5:30	6:20	7:10	8:00	42:30
											80:00

Capítulo 10 • O mercado informal dos relacionamentos pessoais

218 *As mulheres geralmente admitem sentir atração por homens financeiramente bem-sucedidos*: D. M. Buss e M. Barnes, “Preferences in Human Mate selection”, *Journal of Personality and Social Psychology* 50 (1986): 559-570.

218 *Embora antigamente os homens não costumassem mencionar a capacidade de ganhar dinheiro quando interrogados sobre o que achavam atraente numa mulher, eles já começaram a fazê-lo em pesquisas norte-americanas mais recentes*: Deborah Siegel, “The New Trophy Wife”, *Psychology Today*, janeiro-fevereiro de 2004, www.psychologytoday.com/articles/index.php?term=pto20040107-000008 &page=1; “What Men Want from Marriage”, *Ladies’ Home Journal’s Special Report*, junho de 2003, www.meredith.com/NewsReleases/Mgz/LHJ/lhj0603stateofunion.htm.

219 *Nos Estados Unidos, em 1960, a média de idade no primeiro casamento era igual a 22,8 anos para os homens e 20,3 anos para as mulheres. Em 2004, essas idades haviam aumentado para 27,4 e 25,8*: os dados são do recenseamento do U.S. Census Bureau: *Current Population Survey*, March Annual Social and Economic Supplements, 2004 e anterior.

219 *Em 2001, na Austrália, a média de idade no primeiro casamento era de 28,7 para homens e 26,9 para mulheres. Em 1970, os homens australianos se casavam em média aos 23,4 anos e as mulheres aos 21,1 anos*: ver Australian Bureau of Statistics, *Yearbook Australia*, 2004, www.abs.gov.au/Ausstats/abs@.nsf/Lookup/62F9022555D5DE7ACA256DEA00053A15.

222 *Entre 2000 e 2003, a média de idade no primeiro casamento em West Virginia, uma região predominantemente rural, era de 25,9 anos para homens e 23,9 anos para mulheres*: ver U.S. Census Bureau. Sobre mulheres: www.census.gov/population/www/socdemo/fertility/slideshow/Acs-MF/Textonly/slidell.html. Sobre homens: www.census.gov/population/www/socdemo/fertility/slideshow/Acs-MF/Textonly/ slide12.html.

225 *De acordo com um estudo antigo*: Paul H. Jacobson, "Differentials in Divorce by Duration of Marriage and Size of Family", *American Sociological Review*, abril de 1990, 239.

225 *Uma hipótese plausível é sugerida*: See "Uniformed Services Former Spouses' Protection Act Bulletin Fact Sheet", http://www.dod.mil/dfas/militarypay/garnishment/fsfact.html.

226 *Os psicólogos evolucionistas Satoshi Kanazawa e Jody Kovar, por exemplo, fornecem provas convincentes das quatro propostas seguintes*: S. Kanazawa e J. Kovar, "Why Beautiful People Are More Intelligent", *Intelligence* 32 (2004): 227-213.

227 *Diz-se que os homens preferem as louras, e em muitos países ocidentais as pesquisas confirmam essa teoria*: ver, por exemplo, S. Feinman e G. W. Gill, "Sex Differences in Physical Attractiveness Preferences", *Journal of Social Psychology* 105 (1978): 43-52.

231 *O importante é que, embora esses compromissos emocionais inviabilizem oportunidades potencialmente valiosas, eles também trazem benefícios importantes*: Para uma elaboração dessa questão, ver R. H. Frank, *Passions Within Reason: The Strategic Role of the Emotions* (Nova York: Norton, 1988), capítulo 10.

231 *A experiência mostra que quem pensa conscientemente nesses relacionamentos em termos de pontos ganhos e perdidos tem menos satisfação no casamento*: B. Murstein, M. Cerreto e M. MacDonald, "A Theory and Investigation of the Effect of Exchange Orientation on Marriage and Friendship", *Journal of Marriage and the Family* 39 (1977): 155-162.

Índice

Este livro foi composto na tipologia Minion Regular,
em corpo 11,5/16, impresso em papel off-white 80g/m²
no Sistema Cameron da Divisão Gráfica
da Distribuidora Record.